FAYDA BELO

JUSTIÇA PARA TODAS

O que toda mulher deve saber para garantir seus direitos

Planeta

Copyright © Fayda Belo, 2023
Copyright © Editora Planeta do Brasil, 2023
Todos os direitos reservados.

Preparação: Ana Paula Valerio
Revisão: Clarissa Melo e Algo Novo Editorial
Projeto gráfico e diagramação: Márcia Matos
Capa e ilustração: Filipa Damião Pinto | Foresti design
Ilustrações de miolo: Bia Lombardi

Dados Internacionais de Catalogação na Publicação (CIP)
Angélica Ilacqua CRB-8/7057

Belo, Fayda
  Justiça para todas / Fayda Belo. - São Paulo: Planeta do Brasil, 2023.
  176 p.

ISBN 978-85-422-2288-3

1. Violência contra as mulheres I. Título

23-3335   CDD 362.83

Índice para catálogo sistemático:
1. Violência contra as mulheres

Ao escolher este livro, você está apoiando o manejo responsável das florestas do mundo

2023
Todos os direitos desta edição reservados à
EDITORA PLANETA DO BRASIL LTDA.
Rua Bela Cintra, 986 – 4º andar
Consolação – 01415-002 – São Paulo-SP
www.planetadelivros.com.br
faleconosco@editoraplaneta.com.br

Toda vez que uma mulher se defende, sem nem perceber que isso é possível, sem qualquer pretensão, ela defende todas as mulheres.

Maya Angelou

Dedico esta obra à mulher mais guerreira e resiliente que já conheci na vida, que me ensinou que estudar e obter conhecimento eram o único meio capaz de mudar minha trajetória marcada por preconceitos e discriminação. A essa mulher, que não hesitava em pedir aos professores que me doassem cadernos e livros, pois não tinha condições financeiras de comprá-los, mas queria que eu estudasse. A ela: Maria Efigênia Belo, minha mãe, minha heroína, meu tudo. Esta obra é pra você e por você. Muito obrigada pelo exemplo de coragem, determinação e persistência. Mesmo não estando mais entre nós, você foi e sempre será, pra mim, o melhor exemplo a ser seguido.

Sumário

INTRODUÇÃO 9

PARTE 1
A violência contra a mulher na história brasileira 11

Capítulo 1
Por que a maioria das mulheres não consegue
identificar que foi vítima de um crime? 13

Capítulo 2
Como o Estado brasileiro contribuiu para a
desigualdade e a violência contra a mulher 23

PARTE 2
Crimes dos quais as mulheres são
frequentemente vítimas   37

Capítulo 3
Crimes contra a honra e contra a
liberdade pessoal   41

Capítulo 4
Crimes sexuais   61

Capítulo 5
Crimes contra o patrimônio   87

Capítulo 6
Crimes contra a saúde, a vida e
a integridade física   101

Capítulo 7
Outros crimes   117

PARTE 3
A importância da denúncia e como fazê-la   137

Capítulo 8
A importância da denúncia   139

Capítulo 9
Ele foi condenado, e agora?   155

Redes de apoio ao enfrentamento da
violência contra a mulher   159

Referências   167

Introdução

Infelizmente, todos os dias vemos mulheres serem violentadas de diversas maneiras dentro e fora de seus lares. Mas a grande maioria delas sequer tem noção de que algumas de suas vivências diárias são consideradas crimes pela lei.

Sabendo que essa ausência de conhecimento é decorrente da naturalização da violência contra a mulher no Brasil, bem como da chancela estatal que desde sempre tem colaborado com esse processo, surgiu a necessidade de escrever este livro. Aqui, veremos as razões pela qual o Brasil historicamente minimizou a violência contra as mulheres e os motivos pelos quais muitas delas não conseguem perceber que são vítimas – ao ponto de muitas vezes até pensarem que, na verdade, são as culpadas da violência que sofrem.

Buscamos com este livro, de maneira clara e bem explicativa, disseminar o histórico de discriminação contra as mulheres brasileiras, bem como cada crime do qual costumeiramente são ou serão vítimas, apontando o caminho da denúncia e explicando onde essa denúncia irá desaguar, além de indicar redes de apoio gratuitas para amparo caso, após a leitura, alguma mulher perceba que é vítima de um dos crimes aqui citados.

É um livro de amparo, cuidado e ajuda a todas as mulheres brasileiras, independentemente de classe social ou grau de instrução.

Justiça para todas é mais um mecanismo que busca auxiliar as mulheres brasileiras a colocarem um fim no ciclo de violência que possam estar vivendo.

PARTE 1

A violência contra a mulher na história brasileira

CAPÍTULO 1

Por que a maioria das mulheres não consegue identificar que foi vítima de um crime?

Para que possamos entender como ainda hoje muitas mulheres não conseguem diferenciar o que é normal do que é crime dentro de uma relação de afeto, familiar ou profissional, é necessário fazer uma busca histórica, de forma sintetizada, para compreender o que gerou a normalização da violência contra a mulher na sociedade brasileira.

Assim, o primeiro ponto a ser analisado é o patriarcado, já que, como sabemos, a sociedade como um todo (na maioria dos países) foi fundada sob o sistema patriarcal, estruturada com base na dominação masculina, que se institucionalizou, disseminou e se mantém até os dias atuais, conforme afirma bell hooks em *O feminismo é para todo mundo*.[1]

No sistema patriarcal, o homem é tido como o líder, o cabeça, a peça central de toda estrutura social, seja no campo cultural, familiar, político ou econômico, pois, nele, a mulher tem limitações em virtude da maternidade e da amamentação e, deste modo, não dispõe da mesma capacidade física e intelectual que os homens. Ou seja, devido à sua "natureza", a inteligência feminina alcançaria apenas temas relacionados à maternidade e aos cuidados domésticos, restando a ela o papel de cuidar dos filhos, da casa e do marido, necessitando assim de um elo mais forte para prover o lar e para a tomada de decisões: o homem.

E assim surgiram as sociedades agasalhadas no poder do homem-chefe de família. Até mesmo a sexualidade da mulher foi submetida aos interesses masculinos, já que, nesse modelo, a mulher é percebida como

---

[1] hooks, bell. *O feminismo é para todo mundo*: políticas arrebatadoras. Rio de Janeiro: Rosa dos Tempos, 2018.

uma propriedade e como maneira de fazer o homem se perpetuar por meio de descendentes. O lugar da mulher fica limitado ao mundo doméstico e de submissão, com suas funções dirigidas prioritariamente para a reprodução, sem que ela possa ter opinião ou vontade, devendo apenas ouvir, acatar e obedecer ao patriarca.

Mirla Cisne e Silvana Santos, em seu livro *Feminismo, diversidade sexual e Serviço Social*, destacam: "Todas as formas de violência contra a mulher, como a ocorrida em relações interpessoais ou em relações sociais coletivas, encontram uma determinação comum: o patriarcado".[2]

Como consequência do patriarcado que estruturou nossas relações sociais, nasceu o sexismo e o machismo.

O sexismo consiste na ideia de que há um lugar específico para cada gênero, colocando limites sobre o que cada um pode ou não fazer, como se vestir, a maneira de se relacionar, o papel doméstico ou as profissões que pode exercer. É uma discriminação que coloca o sexo masculino como superior ao feminino e tenta ditar o que a mulher pode ou não fazer dentro do seio social e nas relações familiares. O sexismo é, sem sombra de dúvida, o que sustenta a desigualdade de gênero.

---

[2] CISNE, Mirla; SANTOS, Silvana Mara Morais dos. *Feminismo, diversidade sexual e Serviço Social*. São Paulo: Cortez, 2018.

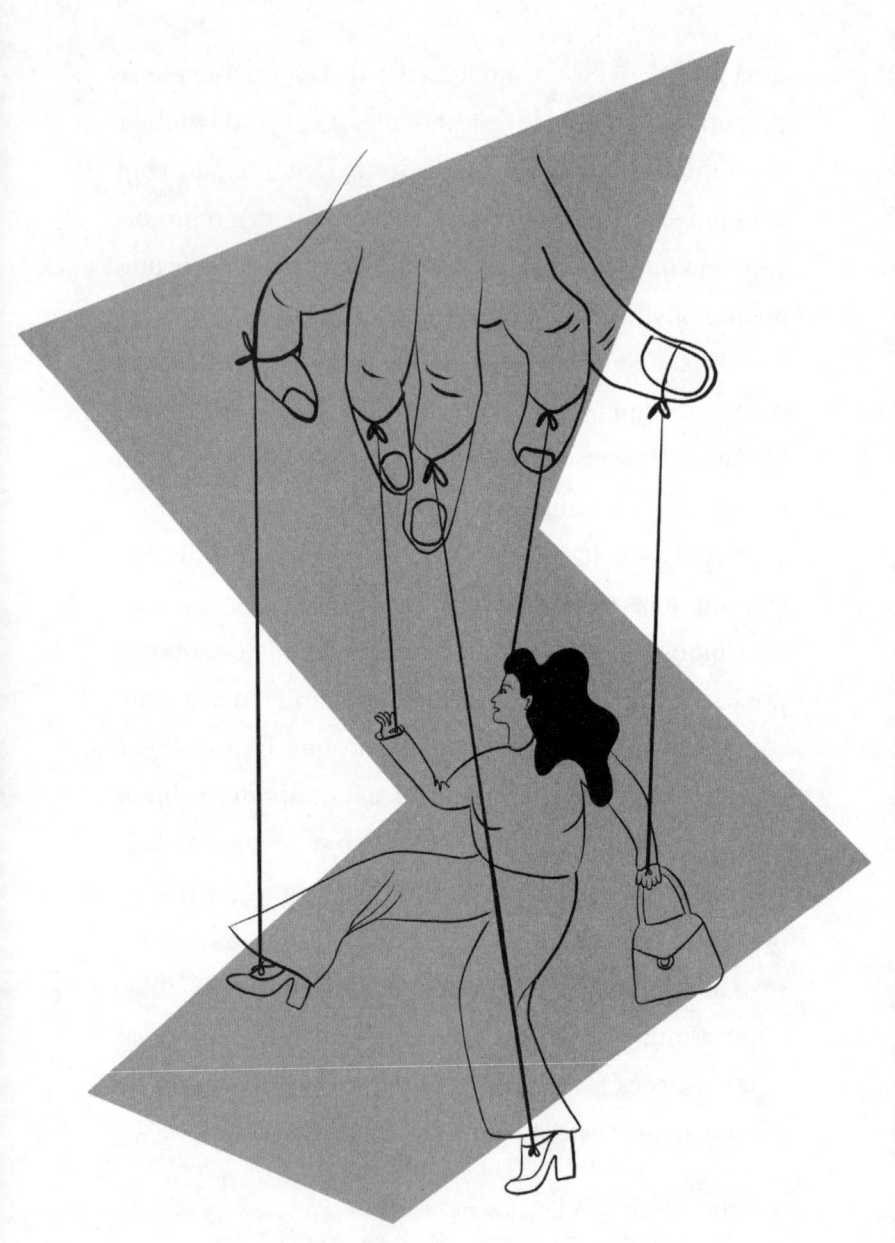

Todavia, merece nota que o sexismo não é prerrogativa exclusiva masculina. Em decorrência da educação recebida, muitas mulheres desenvolvem e reproduzem comportamentos e falas sexistas sem sequer perceberem, já que foram ensinadas que esse comportamento é o correto. Conforme bell hooks nos lembra, como mulheres, fomos socializadas pelo pensamento patriarcal para enxergar a nós mesmas como pessoas inferiores aos homens; para nos ver, sempre e somente, competindo umas com as outras pela aprovação patriarcal.

Como resultado do patriarcado e do sexismo, veio então o machismo, com a ideia de que, para um homem ser considerado "de verdade", além de cumprir padrões de virilidade, precisa ser o provedor da família, se mostrar forte e provar, social e economicamente, que é superior à mulher, para que sua masculinidade não seja colocada em xeque pela sociedade, além de manter a mulher em posição de subalternidade e submissão, alimentando a ideia de que mulheres e homens não podem ser ou fazer as mesmas coisas.

Aqui podemos começar a entender os absurdos e elevados casos de violência contra a mulher, pois, em virtude do sexismo e do machismo, caso a mulher não se comporte como quer o homem, e resista a se

submeter às suas vontades, ele se acha no direito de usar a força para demonstrar sua superioridade em relação a ela.

Mas como o patriarcado, o sexismo e o machismo são refletidos na sociedade brasileira?

Como é sabido, o Brasil foi colonizado pelos portugueses, que trouxeram para cá, além de sua cultura, seu modelo de família, religião e convivência social, a escravização. O modelo cultural, social e familiar veio pronto da Europa, mais precisamente de Portugal, no século XVI, período em que a igreja católica, nos moldes medievais, buscava a expansão do cristianismo em outros territórios.

Ao analisar o papel do homem e da mulher na sociedade brasileira, não podemos perder de vista o modelo patriarcal, branco, heterossexual e cristão.

Seguindo esse raciocínio, na construção da sociedade brasileira, o patriarcado instaurado desde a colonização tinha total influência do cristianismo, religião que estabeleceu os padrões de família e de função de cada pessoa integrante do seio familiar.

A igreja sempre reforçou a ideia de que as mulheres deveriam ser submissas e obedientes, se sujeitando ao controle dos pais e dos maridos. Esse discurso foi absorvido facilmente pelos homens e, aliado à ideia de que as mulheres deveriam obrigatoriamente gerar filhos, foi sacramentado que eles deveriam ser os provedores e, por sua vez, elas deveriam cuidar da casa, reproduzir, cuidar dos filhos e servir sexualmente aos maridos quando solicitadas.

Uma vez que eram vistas como inferiores intelectual, social e culturalmente, foi disseminada, perpetuada e normalizada a crença de que as mulheres deviam obediência aos homens. Caso se rebelassem ou agissem de maneira considerada inadequada, eles deveriam corrigi-las como achassem necessário, não cabendo ao Estado, à igreja ou a qualquer pessoa interferir.

Decorrente do machismo, criou-se também a cultura do estupro, que, em resumo, é a normalização pela sociedade da violação do corpo das mulheres pelos homens e a culpabilização da vítima pela violência sexual sofrida, exemplificadas por frases clássicas como: "Mas olha a roupa que você estava usando", "Por que estava rebolando perto dele?", "Pra que aceitou o convite para jantar se não queria nada além disso?", transferindo para a mulher toda a culpa pelo crime sofrido. Assim, plantou-se e disseminou-se a noção de que o homem *precisa* de sexo e cabe à mulher não estar nos locais "errados", vestida de forma "errada" ou se oferecendo para que o instinto animal do homem não aflore

e ele se veja obrigado a satisfazer a lascívia. Com isso, ligou-se de maneira totalmente equivocada violência sexual à sexualidade, quando, na verdade, se trata de uma violência brutal que invade um corpo que não deu autorização para tal.

Em resumo, o patriarcado, o sexismo e o machismo vieram com os europeus para o Brasil e construíram os moldes da sociedade atual, recheada de desigualdade e violência de gênero, sendo a principal causa de muitas mulheres não conseguirem identificar os crimes dos quais padecem, graças à normalização da submissão das mulheres aos homens e à ideia de que elas são culpadas de toda ação masculina contra elas.

Essa submissão e subalternidade destinada à mulher foi abraçada não apenas pela igreja, mas também pelo Estado, por meio de legislações que corroboram com o machismo desde o Império, formalizando o entendimento de que a mulher é inferior e deve obediência ao homem, podendo ele, em caso de afronta, agir em defesa de sua "honra".

CAPÍTULO 2

Como o Estado brasileiro contribuiu para a desigualdade e a violência contra a mulher

A igreja e o Estado contribuíram significativamente para que a desigualdade e a violência contra a mulher no Brasil fossem ignoradas. Quando analisamos a legislação brasileira desde o Império, notamos que as leis sempre estiveram inclinadas a favorecer os homens e oprimir as mulheres.

CONSTITUIÇÃO
É a **lei mais importante do país**. Ela garante os direitos, deveres e garantias dos brasileiros. Além disso, determina como devem funcionar os poderes (**legislativo, executivo e judiciário**) e como devem ser feitas as demais leis.

CÓDIGO PENAL
É um conjunto de normas que determinam quais atos que, se praticarmos, serão considerados crimes e poderão nos tirar a liberdade.

CÓDIGO CIVIL
É um conjunto de normas que determinam os direitos e deveres das pessoas (sejam elas físicas ou jurídicas), dos bens e das suas relações no âmbito civil |(privado), seguindo as diretrizes da Constituição Federal.

Na primeira Constituição, de 1824, somente os homens eram considerados cidadãos. As mulheres sequer foram citadas, pois, para a sociedade, a igreja e o Estado, eram apenas "acessórios".

Se de um lado a Constituição Imperial não reconheceu a mulher como cidadã, de outro, na criação do primeiro Código Penal Brasileiro, em 1830, vários crimes foram editados com intenção claramente punitivista em relação à mulher. Por exemplo, o crime de estupro e de rapto de mulheres e meninas para fins libidinosos, em que, além de terem seu corpo violado e sua dignidade sexual violentada, só seria considerado crime se a vítima fosse virgem e, ainda assim, a pena era apenas a expulsão da cidade de residência do agressor. Se o estuprador se casasse com a mulher, não sofreria nenhuma consequência.

Note que a violência sexual contra a mulher sempre foi banalizada, mesmo que fosse filha, enteada ou esposa, e havia uma invalidação completa do direito à sexualidade feminina, visto que as "não virgens" sequer tinham a violação de seu corpo reconhecida como crime. Não havia efetivamente uma pena contra os abusadores, pelo contrário, condenava-se a mulher a ter que conviver com seu violador pelo resto da vida, por meio de um casamento forçado.

Para ilustrar essa legislação que pune a mulher, merecem leitura os artigos 250 e 252 do Código Penal Imperial de 1830:

Art. 250. A mulher casada, que cometer adultério, **será punida com a pena de prisão com trabalho por um a três anos.**

Art. 252. A acusação deste crime não será permitida à pessoa, **que não seja marido, ou mulher; e estes mesmos não terão direito de acusar, se em algum tempo tiverem consentido no adultério.**

Como se verifica na leitura dos dispositivos legais acima transcritos, bastava que o homem acusasse a mulher de adultério para que ela fosse condenada à prisão, sem que a palavra dela tivesse qualquer validade em sua defesa. O mesmo não ocorria quando se tratava do marido, já que, se este dissesse que a mulher o autorizou, ficaria isento de qualquer penalização.

A mulher tinha que ser "de um homem só" ou ainda, fazer tudo o que o esposo mandasse para não ser acusada (ainda que falsamente) de adultério e ir para a cadeia.

Esse mesmo Código Penal do Império ainda permitia que o marido furtasse a esposa sem que respondesse criminalmente por isso: se ele passasse para seu nome os bens da mulher ou tomasse todo o dinheiro, dela nada acontecia, porque era o marido.

Com a Constituição de 1891, vimos pela primeira vez a conhecida expressão "todos são iguais perante a lei". Apesar disso, o primeiro Código Civil Brasileiro, de 1916, que perdurou até 2002, legalizou a subalternidade e inferioridade da mulher ao trazer dispositivos que colocavam a mulher não apenas em evidente dependência masculina, mas em uma situação de relativa incapacidade, sem autonomia de vontade. O Código Civil Brasileiro foi fortemente influenciado pelos códigos da igreja que enalteciam a família tradicional e patriarcal. Para a pioneira e ex-desembargadora Maria Berenice Dias, essa legislação consolidou a superioridade masculina e transformou a força física do homem em poder pessoal, dando-lhe o comando exclusivo da família.[3]

Esse Código Civil reuniu, sem sombra de dúvida, um discurso machista em boa parte de seus dispositivos. No artigo 6º, por exemplo, estabeleceu que, a partir do casamento, a mulher perdia sua plena capacidade, passando a ser uma propriedade do cônjuge, já que não poderia mais praticar quase nenhum ato da vida civil

---

[3] DIAS, Maria Berenice. A mulher no Código Civil. *Investidura Portal Jurídico*, Florianópolis, 21 nov. 2008. Disponível em: www.investidura.com.br/biblioteca-juridica/artigos/direito-civil/2247. Acesso em: 25 jan. 2022.

sem autorização do marido, seu domicílio civil passaria a ser obrigatoriamente o do esposo e ela tinha também a obrigação de adotar o sobrenome do marido.

À mulher, durante a vigência do Código Civil de 1916, cabia apenas a administração do ambiente doméstico, sendo impedida legalmente de exercer profissão, vender seus imóveis ou ingressar com ação judicial sem a autorização do marido.

O domínio masculino sobre a vida da mulher estava aí chancelado com o aval estatal. O marido tinha em suas mãos o poder de dirigir a vida dela como bem quisesse com "as bênçãos da lei".

Importante destacar que, por carregar os ideais cristãos, o culto à virgindade e à "pureza" também estava presente na legislação. Se depois do matrimônio o marido constatasse que a mulher já não era mais virgem, ele tinha a prerrogativa de pedir a anulação. A ausência de virgindade, para o Código Civil, era considerada "erro essencial sobre a pessoa".

Essa legislação, que já estava impregnada de ditames religiosos, trouxe ainda o dever de fidelidade conjugal, que, apesar de afirmar ser uma obrigação de ambos os cônjuges, na prática, se o adúltero fosse o marido, a lei era uma letra morta, ou seja, era como se nem existisse. Diferente disso, quando se tratava da mulher, a traição não apenas poderia levá-la ao tribunal como a desmoralizaria e ela seria vista na sociedade como indecente. Em nome da "defesa da honra", as mulheres poderiam ser violentadas ou mesmo assassinadas, pois, se o motivo da agressão ou do homicídio fosse uma traição, o homem não receberia punição alguma do judiciário, uma vez que estaria lavando sua honra perante a sociedade.

Além disso, a mulher infiel perdia a guarda dos filhos, não tinha direito à pensão alimentícia, tinha que retirar o sobrenome do marido. Todos os seus direitos eram perdidos.

Se fosse uma mulher seduzida por um homem casado, era ainda pior, pois, além de ser excluída da sociedade, se tivesse um filho com ele, teria que criá-lo sozinha sem que fosse imputada ao sedutor infiel qualquer obrigação parental.

Em apertada síntese, esse Código Civil de 1916 sacramentou a superioridade do homem na relação conjugal, legalizando a inferioridade da mulher nas relações íntimas de afeto, colocando o marido como chefe da relação afetiva, tanto na administração dos bens quanto na detenção do poder de decidir se a mulher poderia ou não exercer uma profissão, além de legalmente ser o representante oficial da família.

Essa legislação – misógina e machista – foi usada como parâmetro para a edição do Código Penal de 1940 – que ainda é a nossa legislação criminal. O Código Penal de 1940 nasceu no governo Vargas, no momento em que as mulheres começavam a se rebelar contra a obrigatoriedade do casamento, do lar e da maternidade. Em decorrência dessa mudança no comportamento feminino, a nova legislação foi criada na tentativa de coibir essas novas mulheres e frear os pensamentos feministas que afloravam.

Com viés totalmente machista, dividiu-se as mulheres em duas classes: as honestas e as desonestas. Mulher honesta era a casada, obediente e fiel ao marido, enquanto as prostitutas, as infiéis e as modernas, com comportamentos sexuais mais liberais, eram vistas como desonestas, não recebendo proteção jurídica pois, de alguma maneira, contribuíam para a prática do crime e, portanto, mereciam ser vítimas.

Exemplo disso está no chamado "crime contra os costumes" – crimes que violam o sentimento social, a moral vigente na sociedade –, em que os dispositivos traziam o termo mulher "honesta" (termo que só foi revogado em 2005) para deixar claro que apenas as que viviam de acordo com o patriarcado poderiam ser consideradas vítimas.

Não obstante, o estupro marital, praticado pelo marido contra a esposa, não era considerado crime pelos juristas, já que o entendimento predominante era de que o sexo era uma das obrigações do casamento e, se a mulher o recusasse, o marido tinha o direito – mesmo sob violência ou ameaça – de fazê-la manter a conjunção carnal.

Seguindo a mesma linha do Código Penal Imperial, o adultério continuou sendo considerado crime até o ano de 2005. Como de praxe, era permitido e aceitável que o homem tivesse amantes e frequentasse prostíbulos sem que isso implicasse qualquer perturbação jurídica contra ele, diferentemente da mulher infiel, que quase sempre era processada, presa, violentada ou morta.

Desse modo, mais uma vez notamos que tanto o Código Civil quanto o Código Penal buscaram proteger a suposta honra masculina, tirando qualquer autonomia da mulher quanto a seu corpo ou suas vontades, assim permitindo toda sorte de violência contra ela em homenagem a um modelo patriarcal de família.

É importante ressaltar que tais legislações só possuíam essa força opressora contra a mulher porque tinham como adeptos os aplicadores da lei e os próprios juristas, formados em sua maioria por homens que normalizavam e legitimavam a condenação de mulheres e a diária violência contra elas, reproduzindo o machismo social e legislativo para reforçar a submissão e inferioridade da mulher, reduzindo seu papel social a um ser meramente reprodutivo.

O fato de o Código Civil de 1916 ter ficado vigente até 2002 e o Código Penal de 1940 ainda ser a legislação criminal denota que o reflexo do machismo e da violência, que ainda hoje persistem, é herança de um passado não tão distante que tentam perpetuar.

> Todas as formas de violência contra a mulher, como a ocorrida em relações interpessoais ou em relações sociais coletivas, encontram uma determinação comum: o patriarcado.[4]

O Brasil sempre ignorou e banalizou a violência contra a mulher. Como exemplo evidente disso, podemos mencionar que, até 2001, o assédio sexual no ambiente de trabalho não era crime. Até 2018, roubar um beijo de uma mulher, passar a mão em seu corpo ou agarrá-la era normalizado. Apenas após a Lei nº 13.718/2018 é que importunação sexual passou a ser crime. E a Lei

---
[4] CISNE, Mirla; SANTOS, op. cit., p. 74.

nº 11.340/2006, a Lei Maria da Penha, foi criada não porque o Brasil queria proteger nossas mulheres contra a violência doméstica e familiar, mas porque o país foi condenado pela Corte Interamericana de Direitos Humanos (Corte IDH) após ignorar duas tentativas de homicídio sofridas pela sobrevivente que dá nome à lei (uma, inclusive, é a razão de ela ter ficado paraplégica).

Da mesma maneira, quando passeamos pela Lei Maria da Penha, notamos que ela traz cinco tipos de violência doméstica e familiar: física, psicológica, sexual, patrimonial e moral. Todavia, a violência psicológica – até hoje o crime mais praticado dentro dos lares – tornou-se crime apenas em 2021; e a violência patrimonial, como o crime de furto praticado durante a relação conjugal, até hoje não é penalizado.

Todo esse número assustador de violência contra a mulher é resultado de um Estado intrinsecamente machista, que utilizou a lei para determinar que a mulher não só era propriedade do homem, como se tratava de um ser humano inferior, desprovido de inteligência, autonomia e vontades, com papel meramente reprodutivo. A normalização da violência contra a mulher no Brasil foi fruto de uma construção social articulada entre homens, igreja e Estado, resultando num sistema em que as próprias vítimas de violência não conseguem notar que estão sendo vítimas, e mais, que absorvem a normalização dessa cultura de violência.

Em virtude disso, muitas situações na vivência das mulheres acabam se passando como normais. Mesmo que, no íntimo, gerem algum incômodo, passam despercebidas e, por consequência, sem qualquer tipo de punição ao agressor.

Quantas mulheres são chamadas de desleixadas, gordas, porcas ou similares e pensam que é apenas uma briga de casal, que é normal? Esses xingamentos podem configurar crimes.

Da mesma maneira, muitas mulheres acreditam que um puxão de cabelo ou um empurrão são coisas "do calor da emoção", quando também são crimes.

Muitas mulheres se veem obrigadas a manter relações sexuais com o parceiro sem ter vontade, sob o argumento deles de que "é uma das obrigações do matrimônio", mas não se dão conta de que essa conduta é criminosa.

Assim como quebrar os pertences da mulher, escolher sua religião, dizer aonde ela deve ir, com quem pode ir, obrigá-la a ficar trancada em casa, escolher seus amigos, afastá-la da família, impedir o uso de anticoncepcional são condutas normalizadas pela sociedade em virtude dessa herança sexista e patriarcal, mas, legalmente falando, são crimes.

Importante mencionar que, ainda que o parceiro seja o provedor do lar, isso não lhe dá poder sobre o corpo e a vida da parceira e, portanto, não o isenta de práticas criminosas. A mulher é um indivíduo sujeito de direitos, como o homem, e não objeto ou propriedade masculina.

Mas como identificar esses crimes? De quais crimes as mulheres mais costumam ser vítimas?

PARTE 2

Crimes dos quais as mulheres são frequentemente vítimas

Merece destaque que todos os crimes mencionados adiante não alcançam apenas as mulheres cis gênero, mas de igual maneira atingem as mulheres trans, pois, segundo Entendimento Pacificado do Superior Tribunal de Justiça, a violência doméstica contra a mulher, bem como a aplicação da Lei Maria da Penha, alcança as mulheres trans independentemente de cirurgia íntima ou mudança de nome em cartório. Da mesma forma, o Fórum Nacional de Juízas e Juízes de Violência Doméstica e Familiar contra a Mulher (Fonavid) emitiu o Enunciado 46 reiterando a mesma coisa.

Desse modo, não importa se você é uma mulher cis ou trans; você é mulher e como tal terá a proteção da lei se for vítima de algum crime.

CAPÍTULO 3

Crimes contra a honra e contra a liberdade pessoal

Muitas situações são normalizadas pelas mulheres em virtude da herança patriarcal e sexista, impedindo que consigam perceber que, na verdade, algumas atitudes não são rotinas de um relacionamento, mas condutas criminalizadas, para as quais existem punições adequadas.

Listamos os crimes contra a honra e contra a liberdade pessoal mais sofridos pelas mulheres para que saibam identificá-los e se protejam. Os crimes contra a honra são os que ofendem a integridade moral da pessoa, enquanto os contra a liberdade pessoal são aqueles que, de alguma forma, prejudicam o direito de ir e vir da pessoa.

INJÚRIA
Art. 140 - Injuriar alguém, ofendendo-lhe a dignidade ou o decoro:
Pena - detenção, de um a seis meses, ou multa.

Quantas vezes inúmeras mulheres ouviram discursos nesse sentido de seus companheiros e acharam "normal"? Ou, ainda pior, não viram nenhum problema porque achavam que realmente não eram mais tão bonitas?

Ocorre que, quando eu ofendo a dignidade ou o decoro (moralidade, integridade) de alguém, me valendo de palavras pejorativas ou xingamentos para me referir à pessoa, eu pratico crime de injúria, que está no artigo 140 do Código Penal. Pode até parecer uma insatisfação do parceiro quanto à sua estética corporal, mas na verdade o que ele está fazendo é praticar uma violência moral, que pode caracterizar um crime contra sua honra.

Da mesma maneira, também se caracteriza violência moral e, por consequência, crime contra a honra, mais precisamente, injúria (artigo 140 do Código Penal), chamar você de "puta, piranha, vagabunda, burra, relaxada, porca, preguiçosa" etc.

DIFAMAÇÃO

Art. 139 - Difamar alguém, imputando-lhe fato ofensivo à sua reputação:

Pena - detenção, de três meses a um ano, e multa.

Muitos homens, ao findarem a relação, ou depois de serem abandonados, têm o costume de falar com os amigos e até mesmo nas redes sociais que a mulher era uma vagabunda, uma vadia, que não valia nada. Ocorre que esse descontentamento materializado em palavras de baixo calão em público é um crime contra a honra da mulher.

Quando um homem ofende publicamente a honra da mulher, ele pratica crime de difamação. O término da relação, o desequilíbrio emocional ou o descontentamento com o fim desse relacionamento não dá a ele o direito de ofender a honra da mulher, se caracterizando crime essa conduta, ainda que o argumento, opinião que ele esteja dizendo venha ser verdade.

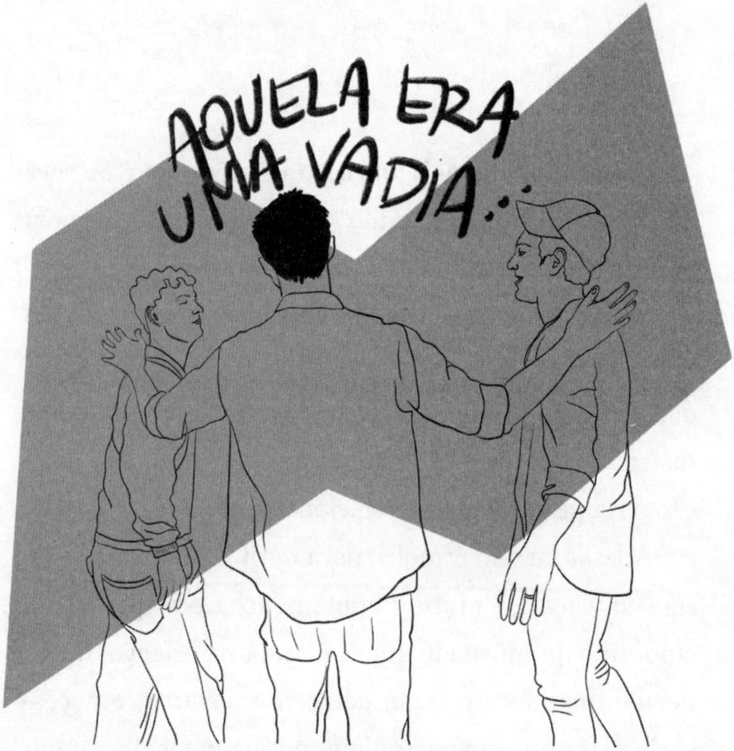
AQUELA ERA UMA VADIA...

AMEAÇA

Art. 147 - Ameaçar alguém, por palavra, escrito ou gesto, ou qualquer outro meio simbólico, de causar-lhe mal injusto e grave:
Pena - detenção, de um a seis meses, ou multa.

Quantas mulheres já ouviram frases do tipo "Se você não fizer isso, eu farei aquilo"? Quantas não conseguem pôr fim ao ciclo da violência porque foram ameaçadas?

Muitas mulheres acabam vivendo em uma relação que não suportam mais em virtude de ameaças sofridas, vez que o homem se vale costumeiramente desse instrumento criminoso para tentar reafirmar sua posição de superioridade no relacionamento.

Apesar de ser rotineiro para muitas mulheres ouvirem ameaças, e muitos homens acharem que isso é sinônimo de que é ele quem manda na relação, quem decide quando a relação começa e termina, é necessário dizer que ameaçar alguém, seja por palavra, por gesto ou por qualquer meio, afirmando que vai lhe fazer algum mal, é crime.

Pode até ser cultural, mas não é normal, é ilegal e deve ser denunciado.

— Se você não for minha, não vai ser de mais ninguém. E, se for embora, esquece levar nossos filhos!

PERSEGUIÇÃO (*STALKING*)

Art. 147-A. Perseguir alguém, reiteradamente e por qualquer meio, ameaçando-lhe a integridade física ou psicológica, restringindo-lhe a capacidade de locomoção ou, de qualquer forma, invadindo ou perturbando sua esfera de liberdade ou privacidade.

Pena - reclusão, de 6 (seis) meses a 2 (dois) anos, e multa

§ 1º A pena é aumentada de metade se o crime é cometido:

[...]

II - contra mulher por razões da condição de sexo feminino, nos termos do § 2º-A do art. 121 deste Código;

Sabe aquelas mensagens insistentes? Aquela pessoa que inconvenientemente comenta em todas as suas postagens, que vive seguindo você e ligando reiteradamente ao ponto de você não ter mais privacidade e ficar com o psicológico abalado, com medo de que possa ser vítima da fascinação desenfreada desta pessoa?

Parece rotineiro e normal, mas é crime de perseguição.

VOCÊ É LINDA,
EU TE AMO, FICA COMIGO.
QUERO VOCÊ!

VOU CONTINUAR
VINDO AQUI ATÉ VOCÊ
VOLTAR PRA MIM!

Quando alguém invade seu direito à privacidade, ligando insistentemente, enviando inúmeras mensagens, perseguindo você pelas ruas, no local de trabalho, indo constantemente à sua casa, ele pratica esse crime.

E é preciso lembrar que, se essa perseguição for em decorrência de menosprezo ou discriminação ao fato de você ser uma mulher, ou se envolver um dos cinco tipos de violência doméstica elencados na Lei Maria da Penha (física, moral, patrimonial, psicológica ou sexual), a pena aumenta pela metade.

O famoso *stalking* não é apenas perturbador ou incômodo, é crime e deve ser denunciado. Ninguém pode dificultar seu direito de ir e vir, nem invadir sua privacidade ou intimidade sem sua autorização.

EU NÃO VOU PARAR
DE LIGAR ENQUANTO
VOCÊ NÃO ACEITAR
SAIR COMIGO!

VIOLÊNCIA PSICOLÓGICA
Art. 147-B. Causar dano emocional à mulher que a prejudique e perturbe seu pleno desenvolvimento ou que vise a degradar ou a controlar suas ações, comportamentos, crenças e decisões, mediante ameaça, constrangimento, humilhação, manipulação, isolamento, chantagem, ridicularização, limitação do direito de ir e vir ou qualquer outro meio que cause prejuízo à sua saúde psicológica e autodeterminação:
Pena - reclusão, de 6 (seis) meses a 2 (dois) anos, e multa, se a conduta não constitui crime mais grave.

Quando falamos em relacionamento abusivo, estamos falando de uma relação afetiva em que o homem tira toda e qualquer autonomia da mulher.

Sabe quando o homem diz a roupa que a mulher deve usar, aonde ela pode ir, com quem ela pode falar, qual religião ela deve seguir, a afasta da família, diz quem pode ser amigo dela, controla cada segundo de sua vida, de forma que ela não tem mais autonomia e só pode fazer o que ele quer? O nome disso é violência psicológica.

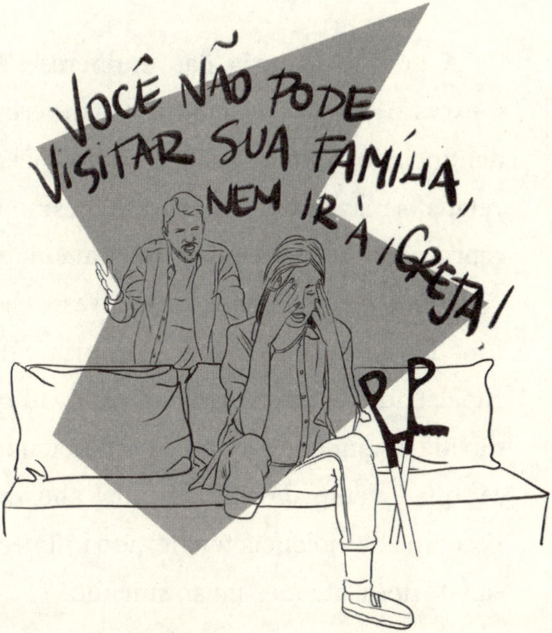
VOCÊ NÃO PODE VISITAR SUA FAMÍLIA, NEM IR À IGREJA!

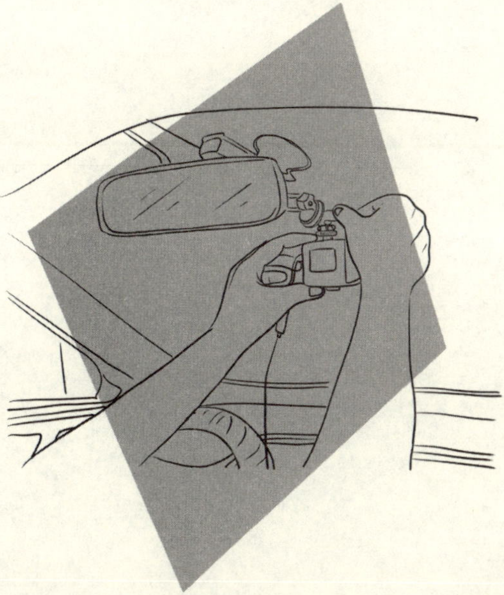

A grande maioria das mulheres pensa que isso é excesso de zelo ou ciúme, mas é crime e deve ser denunciado. Com frequência, a violência psicológica é velada, se fazendo presente até mesmo num olhar de reprovação, numa mensagem com emoji de "ok", num "Vou embora, você pode ficar". Nesses casos, retira-se o poder da mulher sobre a própria vida e mina sua capacidade de fazer escolhas, uma vez que coloca em dúvida a sanidade mental da mulher, que passa a pensar que é a culpada pelas atitudes abusivas do homem. Esse tipo de violência tem levado inúmeras mulheres a sanatórios e até mesmo ao suicídio.

CÁRCERE PRIVADO

Art. 148 - Privar alguém de sua liberdade, mediante sequestro ou cárcere privado: (Vide Lei nº 10.446, de 2002)

Pena - reclusão, de um a três anos.

§ 1º - A pena é de reclusão, de dois a cinco anos:

I - se a vítima é ascendente, descendente, cônjuge ou companheiro do agente ou maior de 60 (sessenta) anos;

Inúmeras mulheres vivem relações abusivas, daquelas em que, além de ocorrer a violência física, psicológica e sexual, ainda são impedidas de sair de dentro de seus lares.

E aqui não estamos falando daquele "impedir" de encontrar uma amiga ou a família, mas de cortar o contato com o mundo externo.

A mulher não tem autonomia sobre seu direito de ir e vir, sendo impedida de realizar até mesmo atividades cotidianas, como ir ao mercado, ao médico ou à porta da residência, por ordem do homem, que na maioria das vezes faz isso para que ela não denuncie aos amigos, familiares ou vizinhos as agressões e os abusos sofridos dentro da relação afetiva.

Ocorre que privar qualquer pessoa de sua liberdade, impedindo que ela exerça seu direito constitucional de ir e vir, é crime de cárcere privado com pena de até cinco anos quando a vítima for cônjuge.

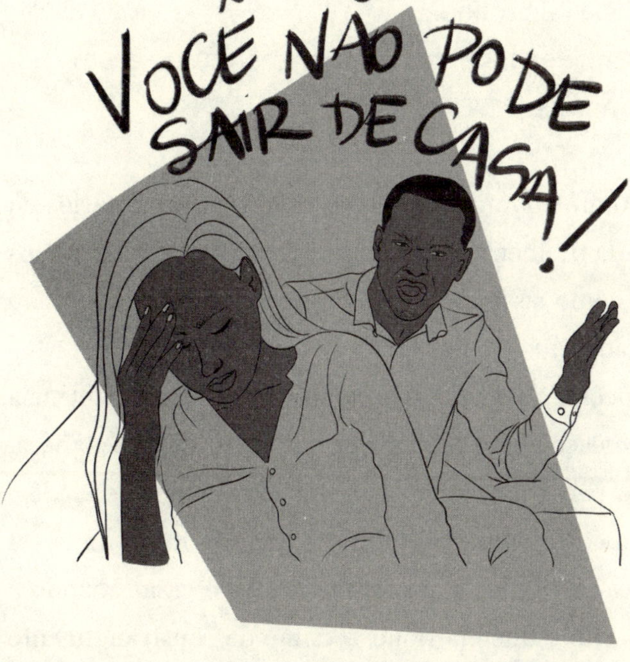
VOCÊ NÃO PODE SAIR DE CASA!

CONSTRANGIMENTO ILEGAL

Art. 146 - Constranger alguém, mediante violência ou grave ameaça, ou depois de lhe haver reduzido, por qualquer outro meio, a capacidade de resistência, a não fazer o que a lei permite, ou a fazer o que ela não manda:

Pena - detenção, de três meses a um ano, ou multa.

Alguns homens se acham donos e proprietários da vida da mulher. Muitas vezes, a proíbem de fazer certos atos como se fosse incapaz de gerir a própria vida ou vontade.

Ocorre que constranger a mulher mediante violência ou ameaça a não fazer o que a lei permite que ela faça, como beber uma cerveja, já que ela é maior de idade e bebida alcoólica é permitida a maiores de 18 anos, ou colocar a mulher para fora da casa do casal quando a lei permite que ela fique, é crime de constrangimento ilegal, com pena de prisão de até um ano.

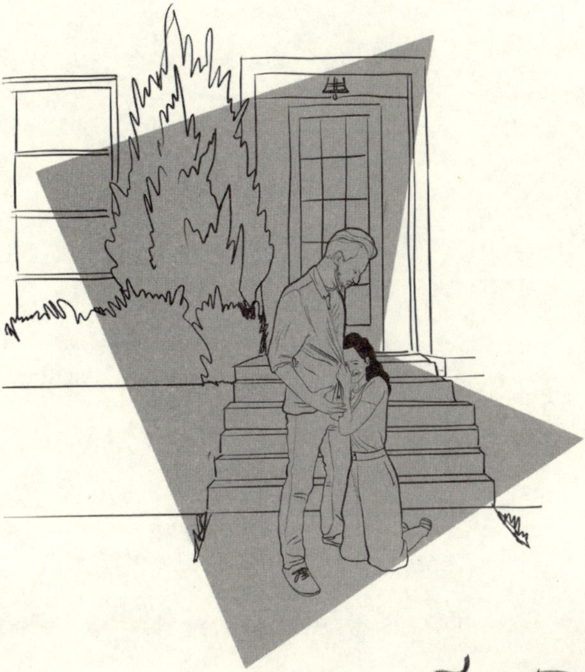

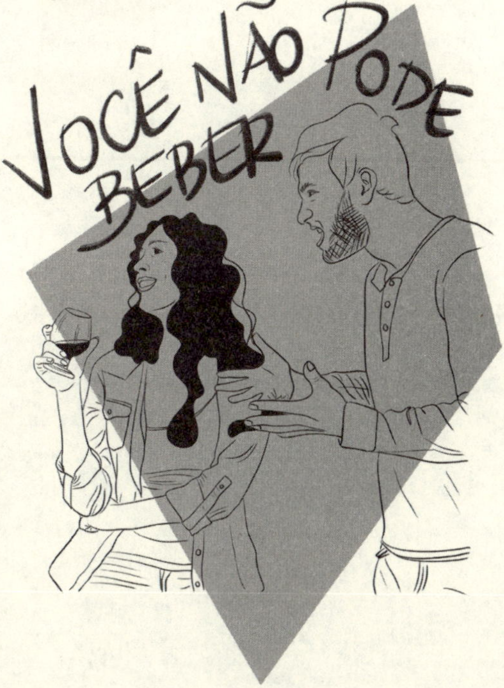
VOCÊ NÃO PODE BEBER

CAPÍTULO 4

Crimes sexuais

Aqui, quando falamos em crimes sexuais, nos referimos àqueles que violam a liberdade e a dignidade sexual da mulher, ou seja, o homem invade um corpo que não deu autorização a ele para ser invadido ou expõe esse corpo sem a devida autorização.

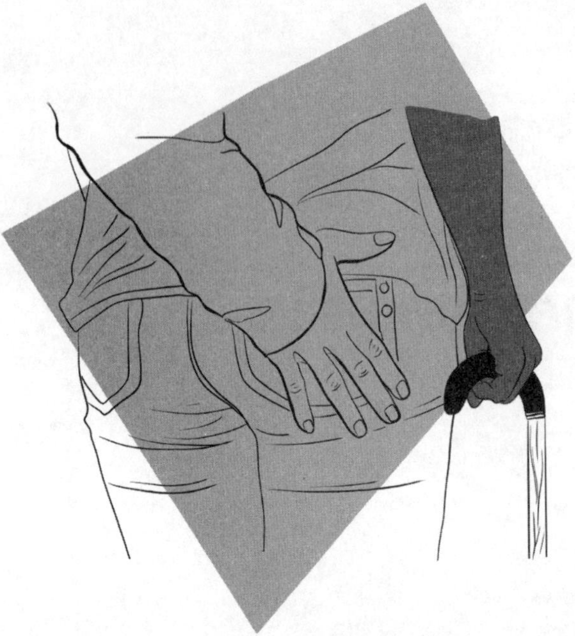

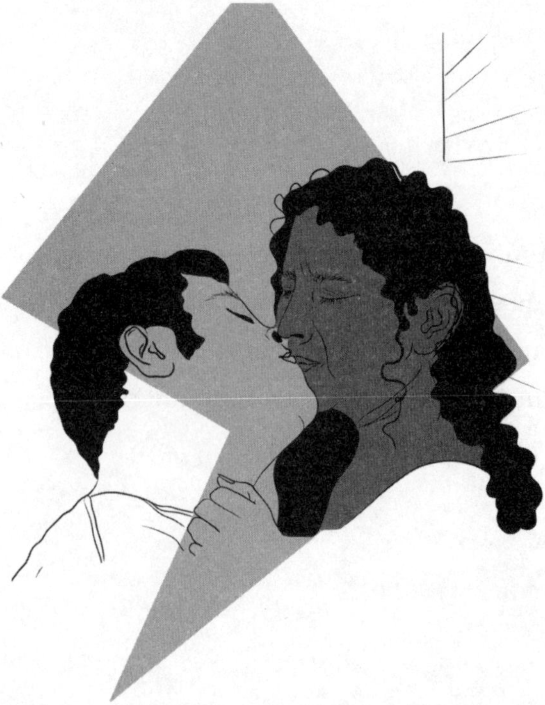

IMPORTUNAÇÃO SEXUAL

Art. 215-A. Praticar contra alguém e sem a sua anuência ato libidinoso com o objetivo de satisfazer a própria lascívia ou a de terceiro:

Pena - reclusão, de 1 (um) a 5 (cinco) anos, se o ato não constitui crime mais grave.

Sabe aquela passada de mão no seu corpo sem autorização? Aquele beijo roubado? Aquela encoxada? Aquela cantada invasiva que invade sua privacidade ou lhe deixa extremamente constrangida? Não é sedução, não é cantada, não é romance. É crime de importunação sexual!

Quando o homem pratica com a mulher qualquer tipo de ato libidinoso sem que ela tenha dado autorização, esse crime estará configurado.

O crime de importunação sexual foi criado em 2018 a partir do número crescente de relatos de mulheres que eram importunadas como se seus corpos fossem públicos. Homens ejaculando em mulheres em ônibus, homens em festas beijando mulheres à força, passando a mão no corpo delas e nada acontecia, pois não havia legalmente um crime que definia tais condutas como proibidas.

Agora, caso o homem invada a liberdade sexual da mulher praticando qualquer ato libidinoso, inclusive virtualmente (como fazer uma chamada de vídeo enquanto se masturba), sem que ela queira, estará configurado esse crime.

Nunca é demais lembrar: Não é não!

ASSÉDIO SEXUAL

Art. 216-A. Constranger alguém com o intuito de obter vantagem ou favorecimento sexual, prevalecendo-se o agente da sua condição de superior hierárquico ou ascendência inerentes ao exercício de emprego, cargo ou função.

Pena - detenção, de 1 (um) a 2 (dois) anos.

Muitas mulheres, no dia a dia profissional, se deparam com superiores que lançam olhares, passam a mão no seu corpo, fazem proposta de promoção em troca de algum favor sexual ou começam a perseguir a mulher em seu local de trabalho após ela recusar as investidas.

Da mesma maneira, alguns professores tentam se valer de cargos e posições superiores para ter algum

QUER SER PROMOVIDA?
ENTÃO FICA COMIGO...

EU AUMENTO SUA NOTA SE VOCÊ ME BEIJAR...

tipo de proximidade sexual com suas alunas, ou técnicos com suas atletas, de forma a intimidar essas mulheres em virtude do cargo que ocupam.

A conduta de se utilizar de um cargo superior para alcançar algum tipo de favor sexual é crime de assédio sexual.

Muitas pessoas pensam que assédio sexual é qualquer conduta que importune a mulher sexualmente, mas, de acordo com o Código Penal, é quando alguém, se valendo do seu cargo hierarquicamente superior ao cargo da vítima, a constrange, amedronta, ameaça para que lhe preste algum favor ou vantagem sexual.

Importante destacar que isso não ocorre apenas na relação profissional, mas poderá ocorrer em relações de cargo, emprego ou função, desde que o assediador seja hierarquicamente superior à vítima, como um padre e uma ministra da palavra, um professor e uma aluna, um técnico e uma atleta, um gerente e uma vendedora, um pastor e uma diaconisa.

Havendo relação de hierarquia entre o assediador e a vítima, e esse assediador se valendo do seu cargo superior para constranger essa vítima a lhe prestar alguma vantagem ou favor sexual, o crime de assédio sexual estará configurado.

REGISTRO NÃO AUTORIZADO DE INTIMIDADE SEXUAL

Art. 216-B. Produzir, fotografar, filmar ou registrar, por qualquer meio, conteúdo com cena de nudez ou ato sexual ou libidinoso de caráter íntimo e privado sem autorização dos participantes:

Pena - detenção, de 6 (seis) meses a 1 (um) ano, e multa.

Parágrafo único. Na mesma pena incorre quem realiza montagem em fotografia, vídeo, áudio ou qualquer outro registro com o fim de incluir pessoa em cena de nudez ou ato sexual ou libidinoso de caráter íntimo.

Quantas mulheres recebem por aplicativo de mensagens, de seus parceiros ou ficantes, fotos dormindo, tomando banho, em algum momento de intimidade, ou um vídeo do momento da relação sexual entre os dois, e se perguntam: "Quando essa foto foi tirada ou esse vídeo foi gravado que eu nem vi?".

Quantas mulheres já sofreram ou ainda sofrem com parceiros, ficantes e ex-namorados que fazem montagem de fotos para tentar desmoralizá-las? Ocorre que

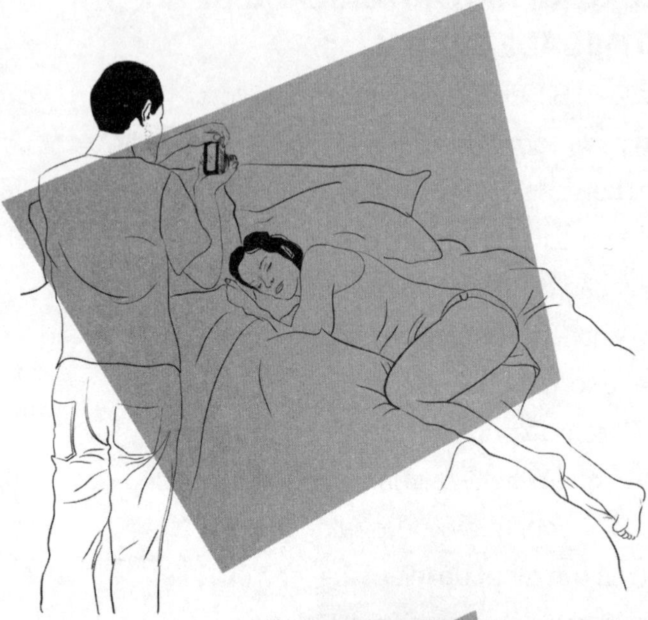

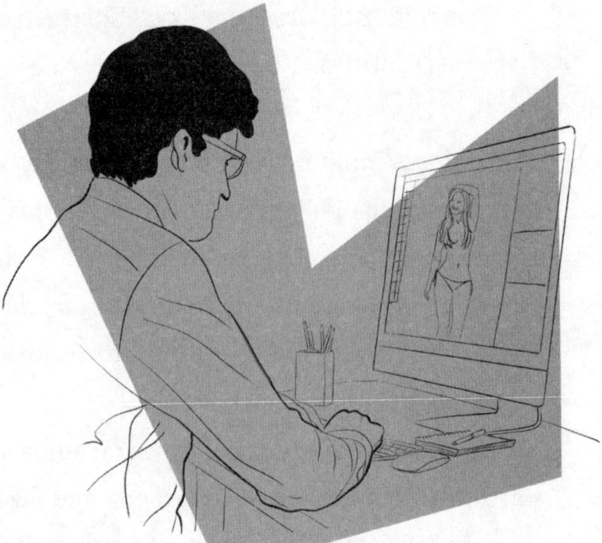

filmar ou fotografar alguém no momento da intimidade ou ainda fazer montagem de fotos para colocar a mulher em alguma cena de sexo é crime de registro não autorizado de intimidade sexual.

Ninguém pode fotografar ou filmar um momento íntimo sem sua autorização. Não é para guardar de lembrança, não é amor, não é porque acha você linda. É crime!

PORNOGRAFIA DE VINGANÇA

Art. 218-C. Oferecer, trocar, disponibilizar, transmitir, vender ou expor à venda, distribuir, publicar ou divulgar, por qualquer meio - inclusive por meio de comunicação de massa ou sistema de informática ou telemática -, fotografia, vídeo ou outro registro audiovisual que contenha cena de estupro ou de estupro de vulnerável ou que faça apologia ou induza a sua prática, ou, sem o consentimento da vítima, cena de sexo, nudez ou pornografia:

Pena - reclusão, de 1 (um) a 5 (cinco) anos, se o fato não constitui crime mais grave.

§ 1º A pena é aumentada de 1/3 (um terço) a 2/3 (dois terços) se o crime é praticado por agente que mantém ou tenha mantido relação íntima de afeto com a vítima ou com o fim de vingança ou humilhação.

É rotineiro que muitas mulheres no momento da relação sexual se deixem filmar ou fotografar, seja para agradar o parceiro, seja para que o casal tenha uma lembrança arquivada dos momentos de intimidade, ou até mesmo são filmadas no momento da relação sem seu conhecimento.

Ocorre que muitas vezes o parceiro envia esse material a amigos para provar sua masculinidade ou ainda, após o término da relação, divulga essas fotos e vídeos ou vende para sites adultos, acontecendo o que chamamos de pornografia de vingança, que é crime tipificado no Código Penal. Inclusive, esse tipo de crime tem uma causa de aumento de pena quando a pessoa que divulga já tenha mantido uma relação de afeto com a vítima.

Importante acrescentar que não apenas esse homem que divulgou esse material responderá pelo crime, mas quem compartilhar também o fará.

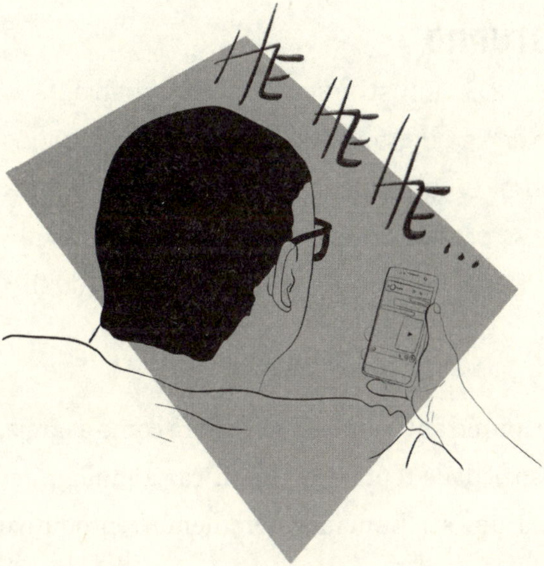
HE HE HE...

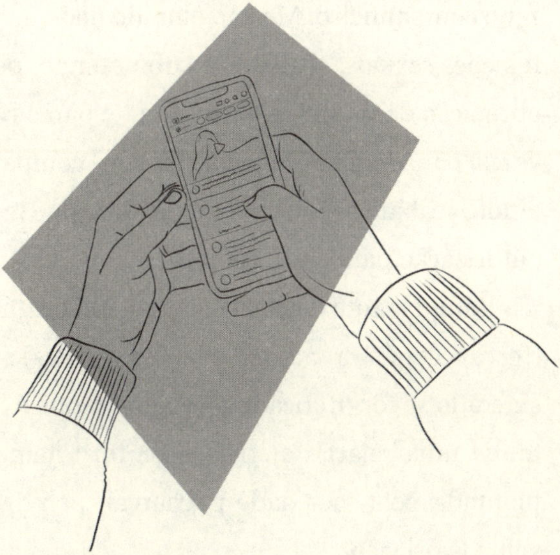

ESTUPRO

Art. 213. Constranger alguém, mediante violência ou grave ameaça, a ter conjunção carnal ou a praticar ou permitir que com ele se pratique outro ato libidinoso:

Pena - reclusão, de 6 (seis) a 10 (dez) anos.

No capítulo anterior, falamos sobre como a igreja, as leis e a sociedade tentaram objetificar a mulher, reduzindo-a a um ser humano meramente reprodutivo, e em decorrência disso, muitas mulheres, no que tange à sexualidade, abdicam de suas vontades para satisfazer o companheiro. Mesmo quando não querem manter relações sexuais, acabam se submetendo, pela ideia de obrigação da mulher em satisfazer o parceiro, não raras vezes, por serem ameaçadas por seus companheiros, ou ainda, acabam sendo violentadas sem que tenham dado autorização para o ato sexual.

É importante desmistificar a ideia de que o estupro (forçar alguém a manter relações sexuais) só será considerado se for praticado por alguém que a mulher não tenha uma relação afetiva. Essa foi a temerária ideia plantada pela sociedade patriarcal, pela igreja e pela velha legislação.

É SUA OBRIGAÇÃO ME SATISFAZER!

A verdade é que ninguém pode violar seu corpo sem seu consentimento, ainda que essa pessoa seja seu cônjuge, companheiro, namorado, ficante ou qualquer pessoa com a qual você tenha uma relação de afeto. Não há nenhuma exceção no dispositivo legal. O artigo 213 do Código Penal, que trata do crime de estupro, não isenta o companheiro. **NÃO PODE!** Você não é obrigada a manter relações sexuais com ninguém se não quiser; se a obrigarem, saiba que é crime, e crime de estupro.

ESTUPRO DE VULNERÁVEL

Art. 217-A. Ter conjunção carnal ou praticar outro ato libidinoso com menor de 14 (catorze) anos:

Pena - reclusão, de 8 (oito) a 15 (quinze) anos.

§ 1º Incorre na mesma pena quem pratica as ações descritas no **caput** com alguém que, por enfermidade ou deficiência mental, não tem o necessário discernimento para a prática do ato, ou que, por qualquer outra causa, não pode oferecer resistência.

Já vimos anteriormente que forçar ou ameaçar a mulher a praticar qualquer ato libidinoso ou relação sexual é crime de estupro. Mas muitas pessoas se confundem quando falamos em estupro de vulnerável, já que associam que tem que está relacionado à violência ou a uma ameaça, ou ainda que a vítima precise ser menor de idade.

Ocorre que isso é um grande equívoco. No estupro de vulnerável, como o próprio nome já diz, a análise é sobre a vulnerabilidade da vítima no momento da prática do ato libidinoso ou da relação sexual.

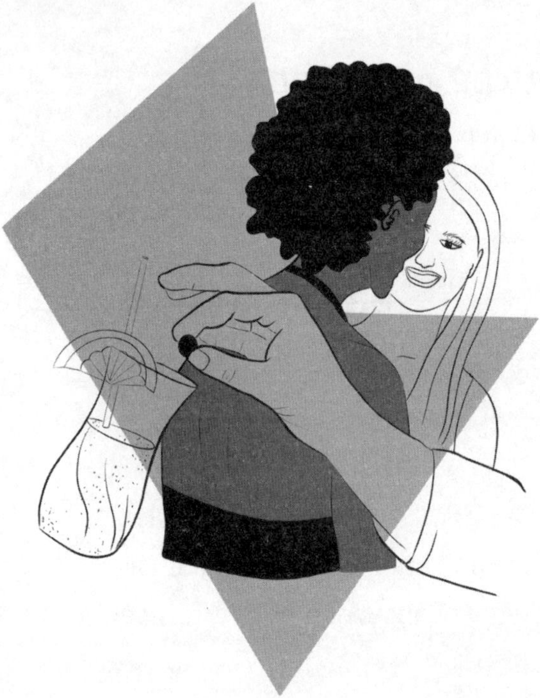

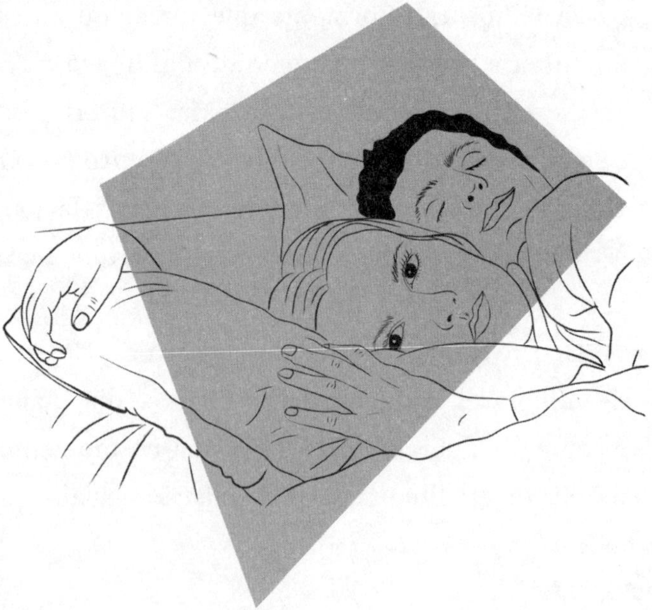

É claro que transar com menor de 14 anos é estupro de vulnerável. Ainda que ela não seja virgem, ainda que ela diga que quer. É o que está na lei.

Mas o que pouca gente sabe é que, se a mulher estiver embriagada, se ela estiver sob o efeito de entorpecente, se ela estiver dormindo ou for uma pessoa com deficiência mental, o crime também será considerado estupro de vulnerável, pois, no momento daquela ação, ela estava vulnerável e não tinha como apresentar qualquer tipo de resistência e/ou não estava em sua plena capacidade de discernimento.

E isso independe se houve violência ou ameaça para se consumar. Nesse caso, a violência e grave ameaça é presumida pelo grau de vulnerabilidade em que a mulher se encontrava na ocorrência do ato.

VIOLAÇÃO SEXUAL MEDIANTE FRAUDE

Art. 215. Ter conjunção carnal ou praticar outro ato libidinoso com alguém, mediante fraude ou outro meio que impeça ou dificulte a livre manifestação de vontade da vítima:

Pena - reclusão, de 2 (dois) a 6 (seis) anos.

Muitas vezes, na hora "H", alguns homens retiram o preservativo sem autorização da mulher e, quando são descobertos, alegam que estava apertado, que corta o tesão, que queria sentir ela "de verdade". Mas a conduta de retirar o preservativo sem autorização da parceira no momento da relação sexual é crime!

É o mesmo tipo de crime para casos em que, para ficar com uma mulher, um homem diz que é rico e não é ou quando um líder religioso afirma que precisa tocá-la ou ter relações sexuais para que ela seja curada, receba uma bênção ou não vá para o inferno etc.

Quando o homem usa de meios ardilosos, ludibria a vontade da mulher para manter relações sexuais com ela, de forma que, se ela tivesse ciência da realidade, não ficaria com ele, pratica crime de violação sexual mediante fraude que está no artigo 215 do Código Penal.

**Não é desconforto,
é crime.**

MEDIAÇÃO PARA SERVIR A LASCÍVIA DE OUTREM

Art. 227 - Induzir alguém a satisfazer a lascívia de outrem:

Pena - reclusão, de um a três anos.

Muitos homens têm a fantasia sexual de fazer *ménage* ou de ver suas parceiras transando com outra pessoa. Fazer *ménage* é crime? Não! Transar com outra pessoa escondido ou na frente do parceiro é crime? Também não.

Mas induzir ou obrigar a mulher a fazer o *ménage* ou a transar com outra pessoa sem que ela tenha vontade é crime de mediação para servir a lascívia de outrem e tem pena de até três anos.

FAVORECIMENTO À PROSTITUIÇÃO OU OUTRA FORMA DE EXPLORAÇÃO SEXUAL

Art. 228. Induzir ou atrair alguém à prostituição ou outra forma de exploração sexual, facilitá-la, impedir ou dificultar que alguém a abandone:

Pena - reclusão, de 2 (dois) a 5 (cinco) anos, e multa.

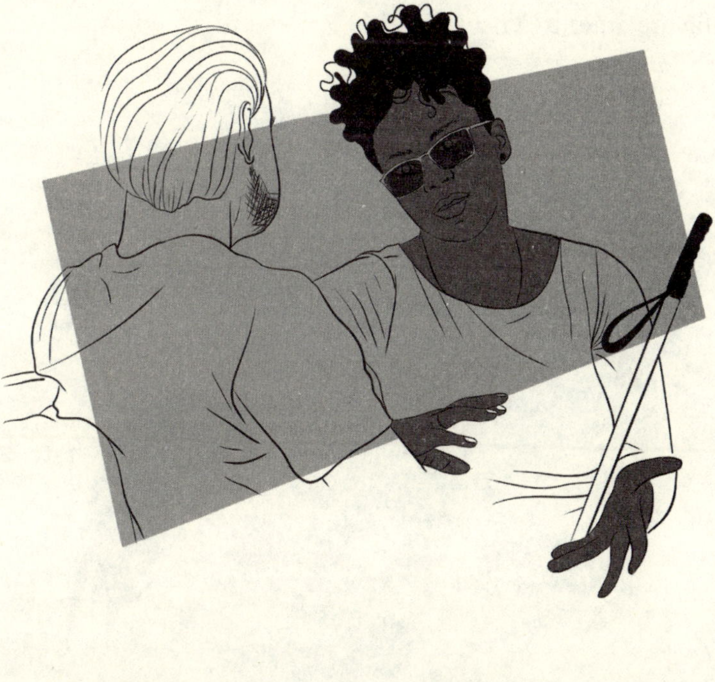

Muitos parceiros induzem as mulheres a se prostituir ou impedem que elas deixem a prostituição. Ocorre que induzir uma pessoa a se prostituir ou dificultar que ela deixe a prostituição é crime.

Ser garota de programa ou não deve ser uma opção única e exclusiva da mulher, pois, se for induzida ou se quiser deixar a profissão e for impedida, é crime de favorecimento à prostituição.

RUFIANISMO

Art. 230 - Tirar proveito da prostituição alheia, participando diretamente de seus lucros ou fazendo-se sustentar, no todo ou em parte, por quem a exerça:
Pena - reclusão, de um a quatro anos, e multa.

O ato de se prostituir no Brasil não é crime. Mas tirar proveito da prostituição alheia, viver dos lucros dela, é crime de rufianismo.

Não raras vezes, mulheres que são profissionais do sexo encontram homens que dizem não se importar com a profissão delas, que as amam, quando, na verdade, usam essa relação para tirar proveito e viver dos lucros.

Quando o parceiro usurpa e vive dos valores recebidos de uma mulher na profissão de garota de programa, pratica o crime de rufianismo com pena de até quatro anos de prisão.

ATO OBSCENO

Art. 233 - Praticar ato obsceno em lugar público, ou aberto ou exposto ao público:
Pena - detenção, de três meses a um ano, ou multa.

Quantas mulheres já transaram na praia? No mar? Ou, ao sair de uma festa em um momento de beijos e carícias, recebeu do parceiro um pedido de masturbação em ruas ou vielas?

O que pode parecer uma aventura, na verdade, pode levá-la à prisão por até um ano. Manter relações sexuais, fazer ou receber masturbação, expor partes íntimas em público, local aberto ou exposto ao público é crime de ato obsceno.

Não deixe sua vontade, inclusive a de agradar o parceiro, levá-la para a cadeia.

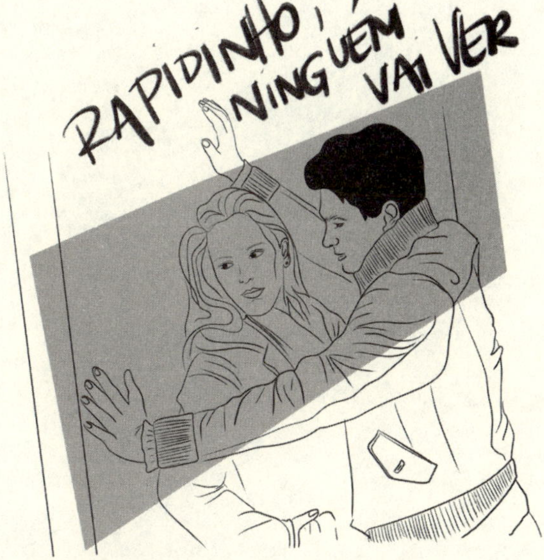
RAPIDINHO, NINGUÉM VAI VER

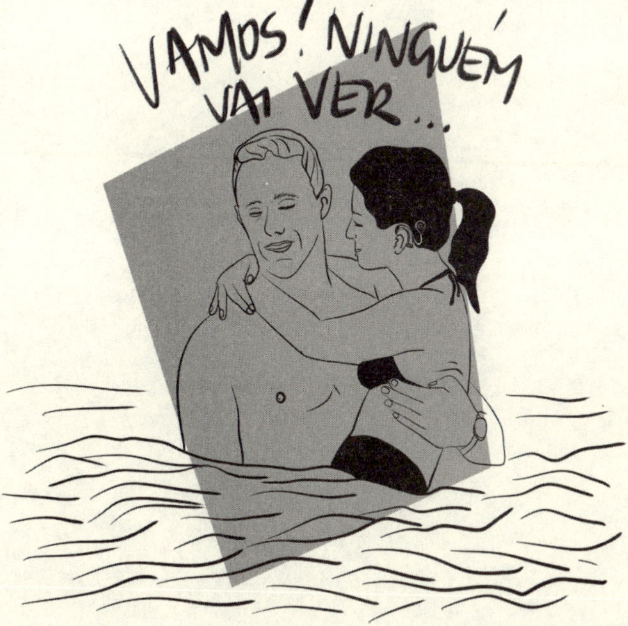
VAMOS? NINGUÉM VAI VER...

CAPÍTULO 5

Crimes contra o patrimônio

Os crimes contra o patrimônio são aqueles em que alguém busca destruir ou tomar para si os bens que não lhe pertencem.

Listamos os crimes contra o patrimônio dos quais as mulheres costumam ser vítimas.

FURTO

Art. 155 - Subtrair, para si ou para outrem, coisa alheia móvel:
   Pena - reclusão, de um a quatro anos, e multa.

Quando o homem pega seu dinheiro sem autorização ou furta seus bens, ele pratica o crime de furto, que consiste em tomar para si algo que não lhe pertence, sem autorização do proprietário.

A Lei Maria da Penha diz que furtar os bens da mulher é violência patrimonial, mas ela não cria e não trata de crimes. Quem tipifica e fala de crimes é o Código Penal, e lá o artigo 181 traz o que chamamos de "escusas absolutórias" (que são motivos que isentam uma pessoa de receber uma pena por um crime praticado), o que significa dizer que o furto praticado contra a esposa na constância da união é isento de pena. Ou seja, atualmente, se seu marido lhe furtar, nada acontecerá com ele porque nossos congressistas não afastaram as escusas absolutórias quando se trata de violência contra a mulher. Deixamos nossa crítica aqui de que isto é um absurdo: se a lei de combate à violência doméstica diz que tal conduta é um tipo de violência contra a mulher, soa um tanto incongruente essa conduta ser isenta de pena.

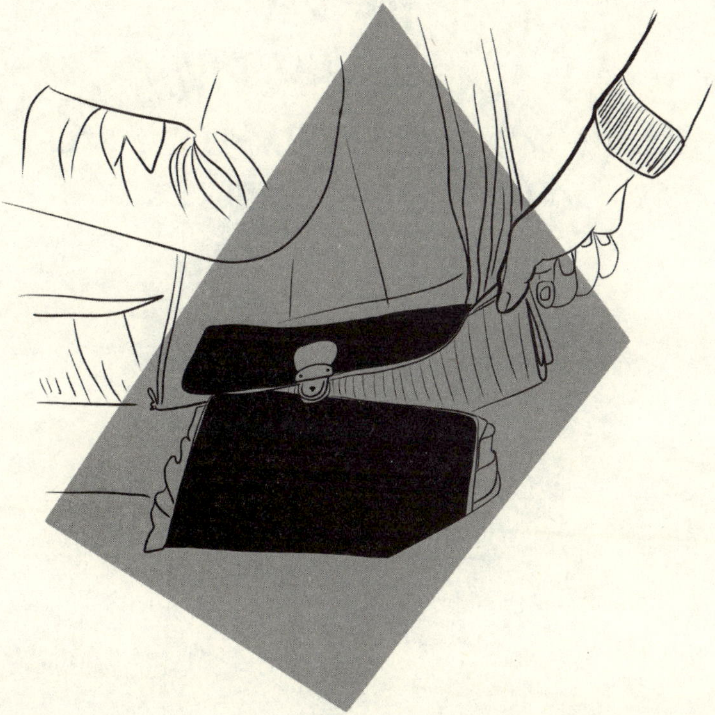

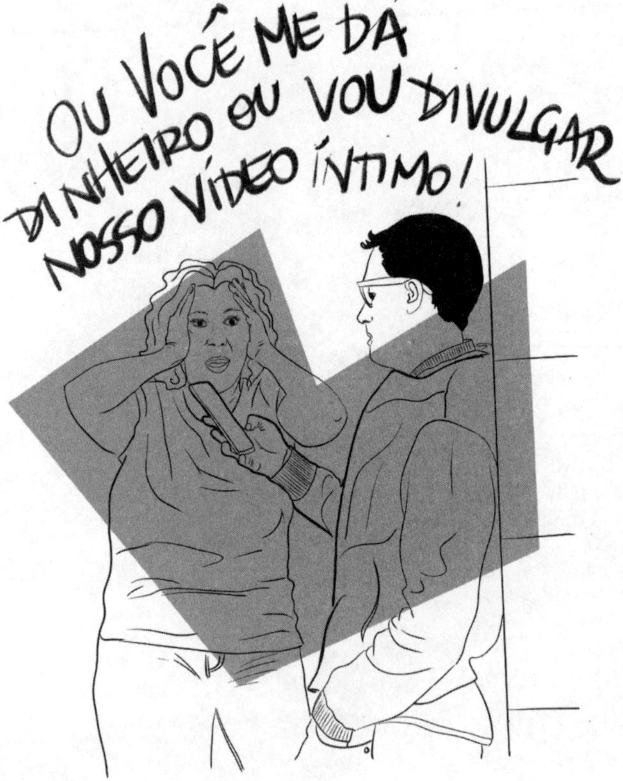
OU VOCÊ ME DÁ DINHEIRO OU VOU DIVULGAR NOSSO VÍDEO ÍNTIMO!

EXTORSÃO

Art. 158 - Constranger alguém, mediante violência ou grave ameaça, e com o intuito de obter para si ou para outrem indevida vantagem econômica, a fazer, tolerar que se faça ou deixar de fazer alguma coisa:
Pena - reclusão, de quatro a dez anos, e multa.

No mundo da tecnologia em que vivemos hoje, não é raro que algumas mulheres, para agradarem seus parceiros, enviem fotos nuas, o famoso nude, ou se permitam serem gravadas no momento da relação sexual.

Ocorre que muitas vezes o parceiro faz algum tipo de chantagem utilizando esse material. Ou ainda, em algumas situações, solicita um bem ou um valor em dinheiro para não ir embora da relação ou não divulgar um segredo íntimo dos dois. Essas condutas podem se configurar como crime grave de extorsão.

O crime de extorsão, que também recebe o nome de sextorsão em situações parecidas com as narradas, ocorre quando o parceiro pede alguma vantagem econômica em troca de manter algum segredo da relação afetiva, não abandonar a parceira, não divulgar vídeos ou fotos íntimos do casal ou da mulher.

ESTELIONATO SENTIMENTAL

Art. 171 - Obter, para si ou para outrem, vantagem ilícita, em prejuízo alheio, induzindo ou mantendo alguém em erro, mediante artifício, ardil, ou qualquer outro meio fraudulento:

Pena - reclusão, de um a cinco anos, e multa, de quinhentos mil réis a dez contos de réis.

Também conhecido como golpe do amor, esse golpe é mais frequente do que se imagina. O homem seduz a mulher, finge querer uma relação afetiva de verdade, mas, na verdade, o único objetivo é tirar dela dinheiro e bens.

Através da sedução, ele faz com que ela lhe dê valores em dinheiro, faça empréstimos, dê presentes e, quando consegue retirar todos os bens que deseja da mulher, o homem desaparece.

Em sites de relacionamento, eles se apresentam como estrangeiros bem-sucedidos e fingem enviar mimos para as vítimas, fazendo com que elas efetuem depósitos em dinheiro para retirar brindes na alfândega. Um exemplo da prática desse crime é o documentário *O golpista do Tinder*, da Netflix.

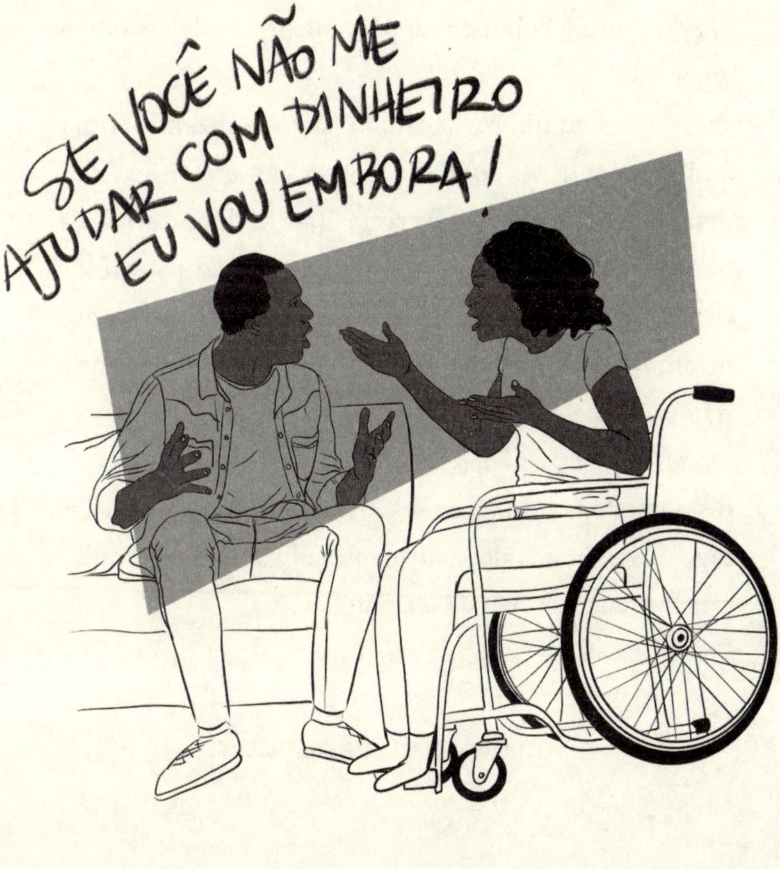
SE VOCÊ NÃO ME
AJUDAR COM DINHEIRO
EU VOU EMBORA!

Essa conduta de se relacionar apenas para usurpar os bens da parceira e sumir, sem nenhuma intenção de efetivamente ter com ela uma relação afetiva, é considerada crime de estelionato previsto no artigo 171 do Código Penal e tem pena de prisão de até cinco anos.

Muitas mulheres acabam não realizando uma denúncia por vergonha e por achar que irão "rir" delas. Ocorre que esse crime não só lhes retira os bens como viola sua autoestima, abala o psicológico e faz com que muitas acabem depressivas ou até mesmo tirando a própria vida, por acreditarem que não são capazes de serem amadas.

Mas a culpa não é da mulher. Trata-se de um golpista que tem a única e exclusiva intenção de tirar vantagem econômica do sentimento alheio, o que é muito cruel, e por isso merece ser punido.

Não deixe de denunciar!

DEIXA EU COLOCAR ESSE CARRO NO MEU NOME, VAI?

ME EMPRESTA 500 REAIS?

APROPRIAÇÃO INDÉBITA

Art. 168 - Apropriar-se de coisa alheia móvel, de que tem a posse ou a detenção:

Pena - reclusão, de um a quatro anos, e multa.

Em algumas relações, certos parceiros pegam bens "emprestados" com suas parceiras e não devolvem.

Diferente do furto, em que esse parceiro pega algum bem da mulher sem sua autorização, aqui ela deixa o bem na posse do parceiro, porém com a expectativa de que este a devolva no dia e prazo acordado, o que não ocorre.

Quando o homem se apropria de maneira indevida, sem devolver o bem emprestado, ele pratica crime de apropriação indébita, cuja pena pode chegar a até quatro anos de reclusão.

CRIME DE DANO

Art. 163 - Destruir, inutilizar ou deteriorar coisa alheia:

Pena - detenção, de um a seis meses, ou multa.

Parágrafo único - Se o crime é cometido:

I - com violência à pessoa ou grave ameaça;

II - com emprego de substância inflamável ou explosiva, se o fato não constitui crime mais grave;

IV - por motivo egoístico ou com prejuízo considerável para a vítima:

Pena - detenção, de seis meses a três anos, e multa, além da pena correspondente à violência.

Quantas vezes ouvimos de algumas amigas as seguintes frases: "Ah! Ele quebrou tudo em casa, mas não me encostou a mão!", "Ah! Ele quebrou meu celular porque estava com ciúme, mas em mim ele não bateu!".

Primeiro precisamos relembrar que o ciclo violento começa justamente com um ciúme em excesso e com a demonstração do lado agressivo deste homem, ainda que seja em objetos.

Não obstante a isso, é necessário saber que quando uma pessoa quebra, destrói ou inutiliza um bem alheio, ainda que seja um simples celular, comete o que o Código Penal chama de crime de dano e, se o motivo for egoístico, como é o caso da fúria, raiva ou ciúme, a pena pode chegar a três anos de prisão.

Importante informar que ainda que esse bem tenha sido dado de presente pelo parceiro, o crime estará configurado, pois, a partir do momento que ocorre a doação, o objeto passa a ser de propriedade da mulher e, assim, o parceiro não pode quebrá-lo ou danificá-lo, sob pena de responder por crime de dano.

Quebrar ou destruir as coisas que você batalhou para ter não é amor, não é ciúme, é crime!

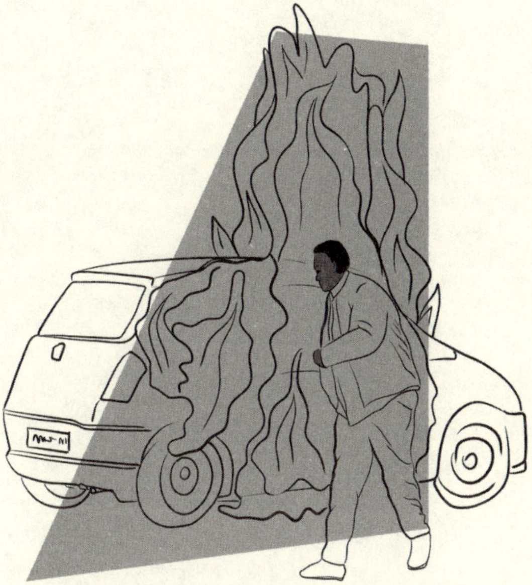

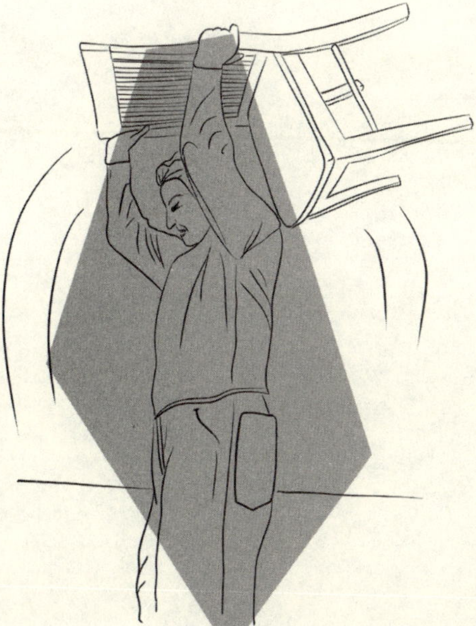

CAPÍTULO 6

Crimes contra a saúde, a vida e a integridade física

PERIGO DE CONTÁGIO VENÉREO
Art. 130 - Expor alguém, por meio de relações sexuais ou qualquer ato libidinoso, a contágio de moléstia venérea, de que sabe ou deve saber que está contaminado:
    Pena - detenção, de três meses a um ano, ou multa.

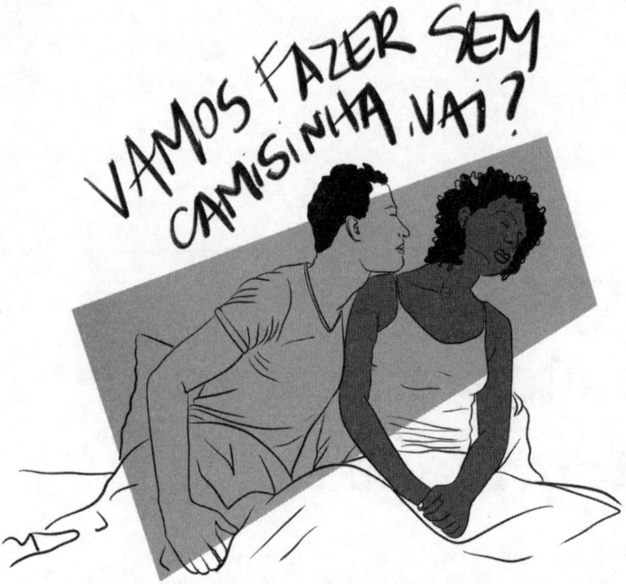
VAMOS FAZER SEM CAMISINHA, VAI?

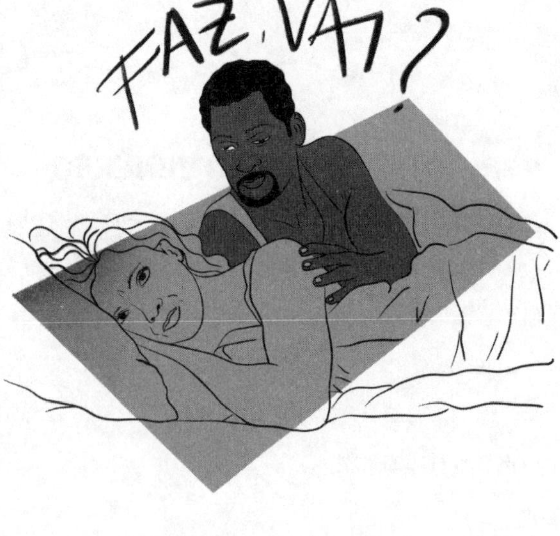
FAZ, VAI?

§ 1º - Se é intenção do agente transmitir a moléstia:
Pena - reclusão, de um a quatro anos, e multa.

Quantas mulheres já fizeram sexo oral em parceiros sem serem avisadas que ele estaria com algum tipo de doença sexualmente transmissível?

Quantas aceitaram ter relações sexuais sem preservativo e depois acabaram descobrindo que contraíram herpes, gonorreia ou doenças venéreas similares?

Mas talvez o que você não saiba é que, quando o homem, sabendo ou devendo saber (ele tem sinais no corpo que demonstram, como a gonorreia, por exemplo, que solta um líquido amarelo do órgão genital) que possui algum tipo de doença venérea sexualmente transmissível, passa para a mulher essa doença, está cometendo crime.

É crime de perigo de contágio venéreo expor a mulher por meio de relações sexuais ou qualquer ato libidinoso (sexo oral, por exemplo) a doenças sexualmente transmissíveis, que o homem sabe ou deveria saber que possui.

PERIGO DE CONTÁGIO DE MOLÉSTIA GRAVE

Art. 131 - Praticar, com o fim de transmitir a outrem moléstia grave de que está contaminado, ato capaz de produzir o contágio:

Pena - reclusão, de um a quatro anos, e multa.

Vimos que, quando o homem sabe que tem algum tipo de doença venérea e ainda assim expõe a mulher ao risco de transmissão, através de relações sexuais é crime de perigo de contágio venéreo.

Quando o homem está com uma doença sexualmente transmissível grave e mantém relações sexuais com a mulher, com o objetivo de transmitir a doença, também incorre em crime, só que de perigo de contágio de moléstia grave, e pode pegar até quatro anos de prisão.

Se a doença que ele quer transmitir for o vírus HIV, os tribunais entendem que, além do crime aqui descrito, ele ainda responderá por lesão corporal grave (Art. 129 do Código Penal).

ABORTO PROVOCADO POR TERCEIRO

Art. 125 - Provocar aborto, sem o consentimento da gestante:
Pena - reclusão, de três a dez anos.

Sabemos que no Brasil o ato de abortar ainda é considerado crime. A mulher que aborta ainda é penalizada e levada a julgamento, inclusive perante o Tribunal do Júri, formado por pessoas da sociedade que julgarão se ela deve ou não receber uma pena de prisão.

— EU NÃO QUERO FILHO AGORA, BEBE ESSE REMÉDIO, JÁ!

Ocorre que, desde a fundação da nossa sociedade, a culpa de uma gestação sempre recaiu sobre a mulher. Sempre foi atribuída a ela a culpa por engravidar. Quantas vezes ouvimos, até mesmo de outras mulheres: "Engravidou porque quis", "porque não tomava anticoncepcional", "estava querendo prender o homem" etc.

Por que não lembrar que o homem tem a opção de usar o preservativo ou de fazer uma vasectomia? É covarde demais atribuir somente à mulher a responsabilidade por uma gestação indesejada quando, na verdade, ela não engravidou sozinha.

Todavia, caso ocorra uma gravidez indesejada, e a mulher seja obrigada a abortar sem seu consentimento, mediante ameaças de morte, de término da relação, ou sendo forçada a ingerir uma substância abortiva, o homem que a obrigou a realizar o aborto incorre em crime e poderá receber uma pena de até dez anos de prisão.

ABORTO DECORRENTE DE ESTUPRO

[Aborto no caso de gravidez resultante de estupro:]

II - se a gravidez resulta de estupro e o

aborto é precedido de consentimento da gestante ou, quando incapaz, de seu representante legal.

Diferente de tudo que colocamos anteriormente sobre o crime de aborto, quando a gestação for oriunda de um estupro, a lei concede à mulher o direito de abortar. Nesse caso não há crime, mas sim um direito conferido àquela mulher que foi violentada sexualmente.

Necessário salientar que o direito ao aborto legal não necessita de autorização judicial, registro de Boletim de Ocorrência nem consentimento de qualquer outra pessoa, devendo o Serviço Único de Saúde (SUS) fazer todo o procedimento de maneira gratuita, sem qualquer constrangimento ou pressão à mulher para que não faça.

LESÃO CORPORAL
Art. 129. Ofender a integridade corporal ou a saúde de outrem:

Pena - detenção, de três meses a um ano.

§ 9º Se a lesão for praticada contra ascendente, descendente, irmão, cônjuge

ou companheiro, ou com quem conviva ou tenha convivido, ou, ainda, prevalecendo-se o agente das relações domésticas, de coabitação ou de hospitalidade:
Pena - detenção, de 3 (três) meses a 3 (três) anos.
§ 13. Se a lesão for praticada contra a mulher, por razões da condição do sexo feminino, nos termos do § 2º-A do art. 121 deste Código:
Pena - reclusão, de 1 (um) a 4 (quatro anos).

Muitas mulheres se equivocam ao pensar que agressão física é apenas quando ficam hematomas visíveis, quando precisam ser hospitalizadas ou quando algum membro do corpo é quebrado.

Importante esclarecer que, além dessas condutas elencadas, o empurrão, a rasteira, o puxão de cabelo e até mesmo o corte de cabelo também serão considerados crimes de lesão corporal, e quando praticado pelo cônjuge ou pessoas que tenham relação doméstica com a mulher, a pena é aumentada por se tratar de violência doméstica.

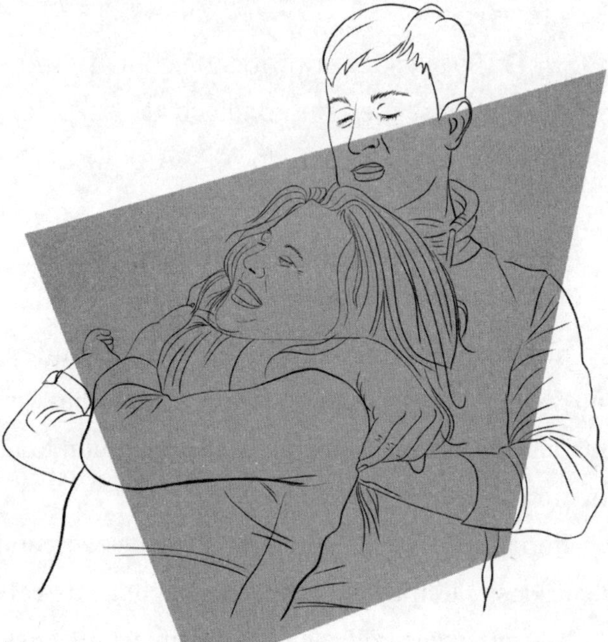

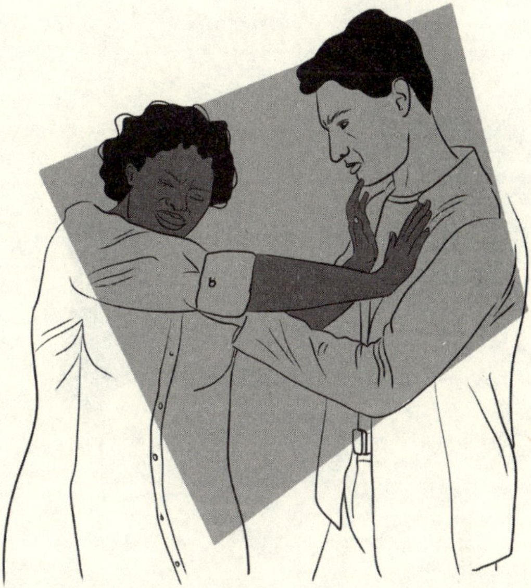

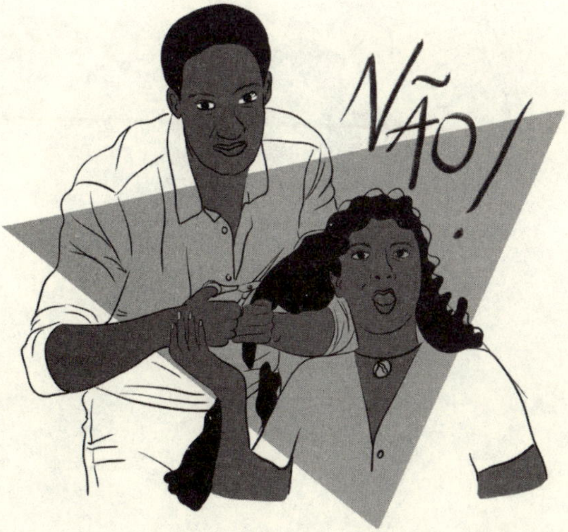
NÃO!

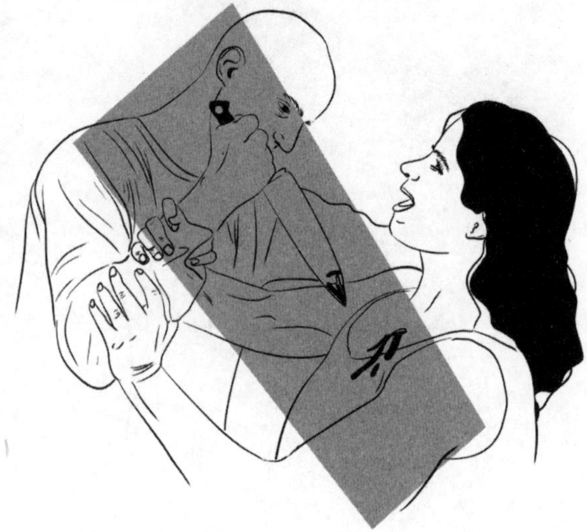

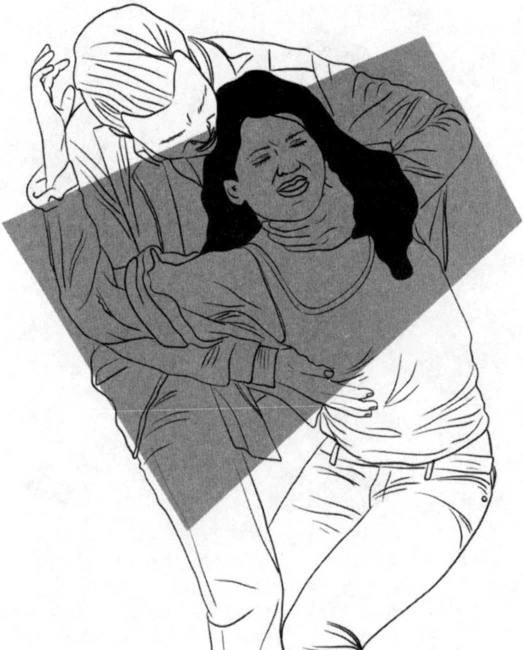

HOMICÍDIO QUALIFICADO POR FEMINICÍDIO

Art. 121. Matar alguém:

Pena - reclusão, de seis a vinte anos.

§ 2° Se o homicídio é cometido:

VI - contra a mulher por razões da condição de sexo feminino:

Pena - reclusão, de doze a trinta anos.

§ 2°-A Considera-se que há razões de condição de sexo feminino quando o crime envolve:

I - violência doméstica e familiar;

II - menosprezo ou discriminação à condição de mulher.

Já sabemos que o crime de homicídio consiste na conduta de matar alguém. Na doutrina clássica, o conceito do crime de homicídio em apertada síntese é a eliminação da vida extrauterina.

Essa conduta de matar alguém poderá ser qualificada, ou seja, considerada mais grave, em algumas situações em que o crime ocorrer, e uma delas é o feminicídio, que foi acrescentado no Código Penal em 2015.

O crime de homicídio será qualificado por feminicídio quando envolver violência doméstica e familiar (aqueles cinco tipos de violência da Lei Maria da Penha: física, psicológica, sexual, patrimonial e moral) ou quando houver menosprezo ou discriminação ao fato de a vítima ser uma mulher, o que também conhecemos por misoginia. Envolvendo qualquer uma dessas situações, a pena poderá chegar até trinta anos de prisão.

Necessário apontar que essa qualificadora também alcança as mulheres trans e travestis, já que, como é bom reafirmar, tratam-se igualmente de mulheres e, portanto, também terão a proteção dessa qualificadora.

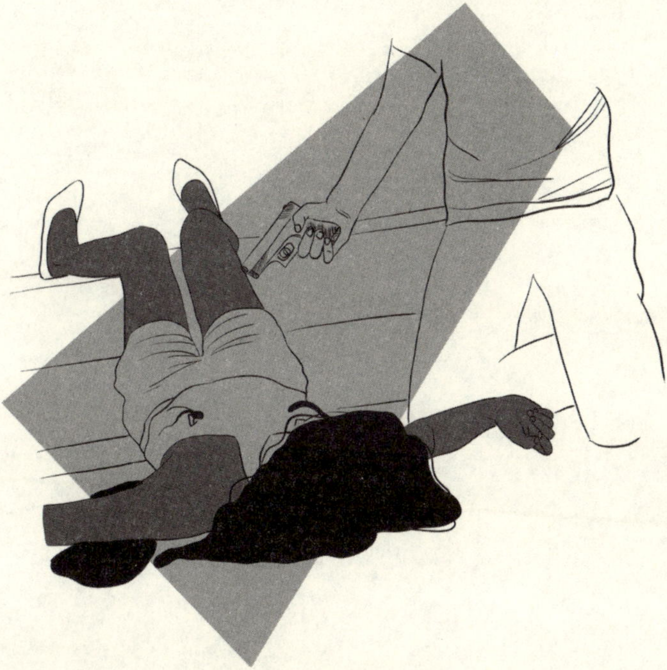

CAPÍTULO 7

Outros crimes

ABANDONO MATERIAL
Art. 244. Deixar, sem justa causa, de prover a subsistência do cônjuge, ou de filho menor de 18 (dezoito) anos ou inapto para o trabalho, ou de ascendente inválido ou maior de 60 (sessenta) anos, não lhes proporcionando os recursos necessários ou faltando ao pagamento de pensão

alimentícia judicialmente acordada, fixada ou majorada; deixar, sem justa causa, de socorrer descendente ou ascendente gravemente enfermo:

Pena - detenção, de 1 (um) a 4 (quatro) anos e multa, de uma a dez vezes o maior salário mínimo vigente no país.

Muitas mulheres são economicamente dependentes do parceiro, em virtude disso, boa parte deles acredita que a mulher que fica em casa cuidando do lar e dos filhos é "à toa", que ele é o salvador e tem que pagar tudo. A maioria dessas mulheres têm receio de se separar porque não têm um emprego e não sabem como poderão reiniciar a vida. Se valendo disso, seus parceiros afirmam que não as ajudarão em nada caso se separem e que, se saírem de casa, passarão necessidade.

Primeiro precisamos pontuar que a mulher que abre mão de sua autonomia financeira para ficar em casa cuidando do lar e dos filhos não é uma mulher à toa. Ao oposto, se esse homem tivesse que pagar uma babá, uma faxineira, uma secretária do lar, uma cozinheira e uma lavadeira, pagaria um valor elevado por esses serviços e, portanto, não existe essa história de que "sustenta a mulher"; pelo contrário, não raras vezes sequer garante o mínimo para que ela tenha suas coisas e uma subsistência pelo menos próxima a que teria se estivesse trabalhando.

Além disso, essa violência velada e silenciosa materializada em ameaça de que se a mulher se separar vai passar fome ou não vai receber nenhum tipo de auxílio é puro blefe, já que deixar de prover a subsistência do cônjuge é crime de abandono material, com pena de prisão de até quatro anos. Se o parceiro não colaborar para o sustento da parceira que não possui condições de se manter financeiramente, que não tem meios para se sustentar, responderá criminalmente.

SÓ ISSO NÃO DÁ PARA COMPRAR MEU ABSORVENTE...

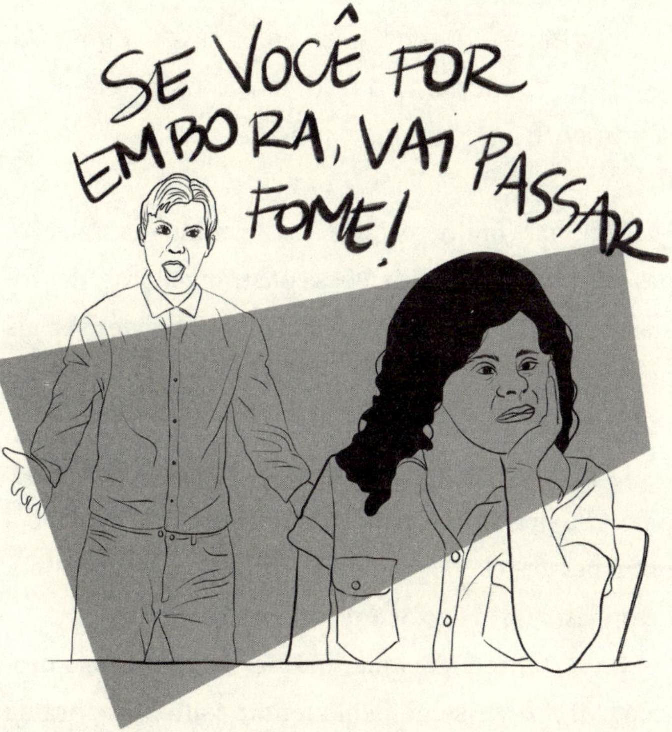
SE VOCÊ FOR EMBORA, VAI PASSAR FOME!

FALSA IDENTIDADE

Art. 307 - Atribuir-se ou atribuir a terceiro falsa identidade para obter vantagem, em proveito próprio ou alheio, ou para causar dano a outrem:

Pena - detenção, de três meses a um ano, ou multa, se o fato não constitui elemento de crime mais grave.

Algumas mulheres, após o término da relação, passam por muitas situações constrangedoras, dentre elas perseguição virtual e difamação nas redes sociais pelo ex-parceiro, que não se conforma com o fim do relacionamento.

Ocorre que, quando uma pessoa cria um perfil falso, o famoso perfil *fake*, para causar algum tipo de dano a outra pessoa, ela responde por crime de falsa identidade previsto no artigo 307 do Código Penal.

Importante mencionar que se, durante o uso desse perfil *fake*, esse homem atentar contra a honra da mulher, ofendendo sua reputação, por exemplo, além do crime de falsa identidade responderá também pelo crime de difamação do artigo 139 também do Código Penal.

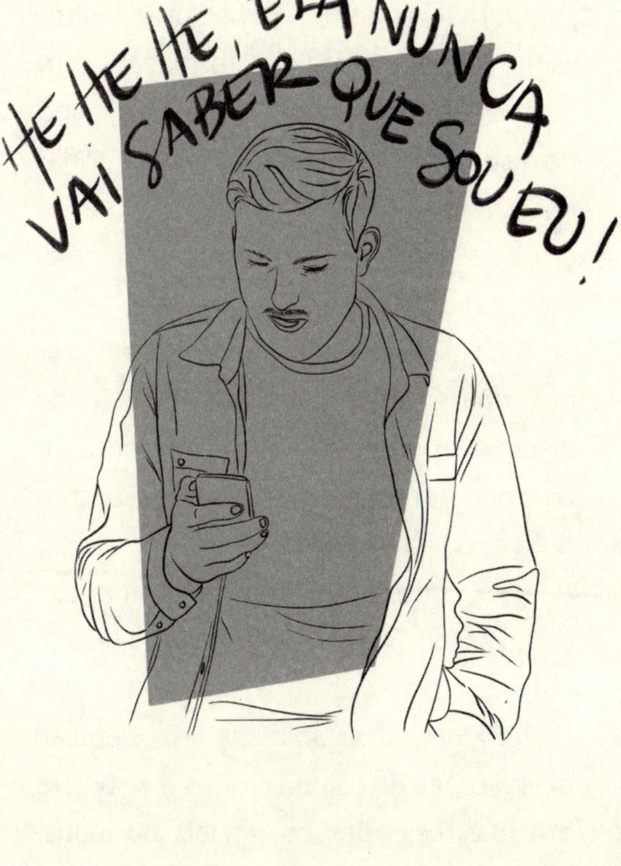
HE HE HE, ELA NUNCA VAI SABER QUE SOU EU!

INVASÃO DE DISPOSITIVO INFORMÁTICO

Art. 154-A. Invadir dispositivo informático de uso alheio, conectado ou não à rede de computadores, com o fim de obter, adulterar ou destruir dados ou informações sem autorização expressa ou tácita do usuário do dispositivo ou de instalar vulnerabilidades para obter vantagem ilícita:

Pena - reclusão, de 1 (um) a 4 (quatro) anos, e multa.

§ 1º Na mesma pena incorre quem produz, oferece, distribui, vende ou difunde dispositivo ou programa de computador com o intuito de permitir a prática da conduta definida no **caput**.

§ 2º Aumenta-se a pena de 1/3 (um terço) a 2/3 (dois terços) se da invasão resulta prejuízo econômico.

§ 3º Se da invasão resultar a obtenção de conteúdo de comunicações eletrônicas privadas, segredos comerciais ou industriais, informações sigilosas, assim definidas em lei, ou o controle remoto não autorizado do dispositivo invadido:

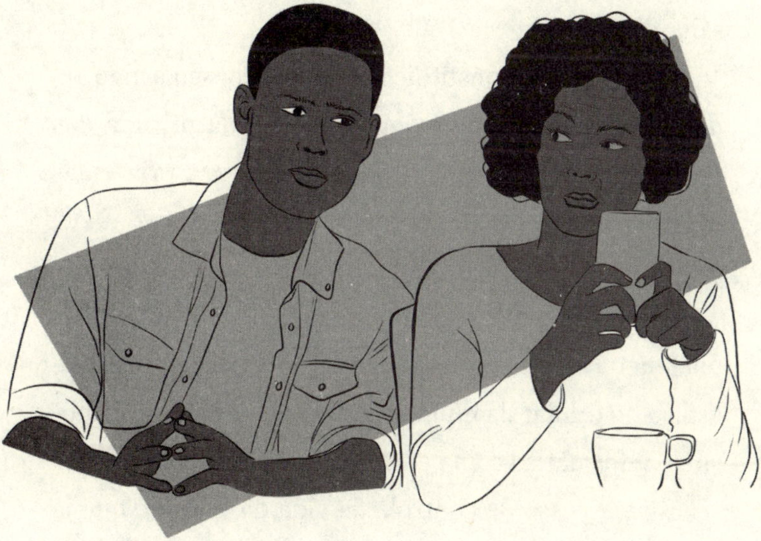

Pena - reclusão, de 2 (dois) a 5 (cinco) anos, e multa.

Muitos homens, visando controlar com quem a mulher conversa e o que ela está fazendo, acabam clonando seus aplicativos de mensagens ou redes sociais, ou mesmo obrigando-a a abrir o celular para que possam inspecionar.

Ocorre que a Constituição Federal, em seu artigo 5º, diz que é inviolável a intimidade e a vida privada das pessoas, ou seja, ninguém pode invadir sua privacidade sem sua autorização por livre e espontânea vontade, independentemente de ser ou não namorado ou marido.

Para além disso, segundo nosso Código Penal, clonar qualquer rede social da parceira ou colocar aplicativo espião no celular da mulher é crime de invasão de dispositivo informático com pena de até cinco anos de prisão.

Esse excesso de controle da vida da mulher, que já aprendemos inclusive no crime de violência psicológica, não pode acontecer.

Você tem o direito legal à sua intimidade e privacidade, ainda que tenha uma relação de afeto com alguém.

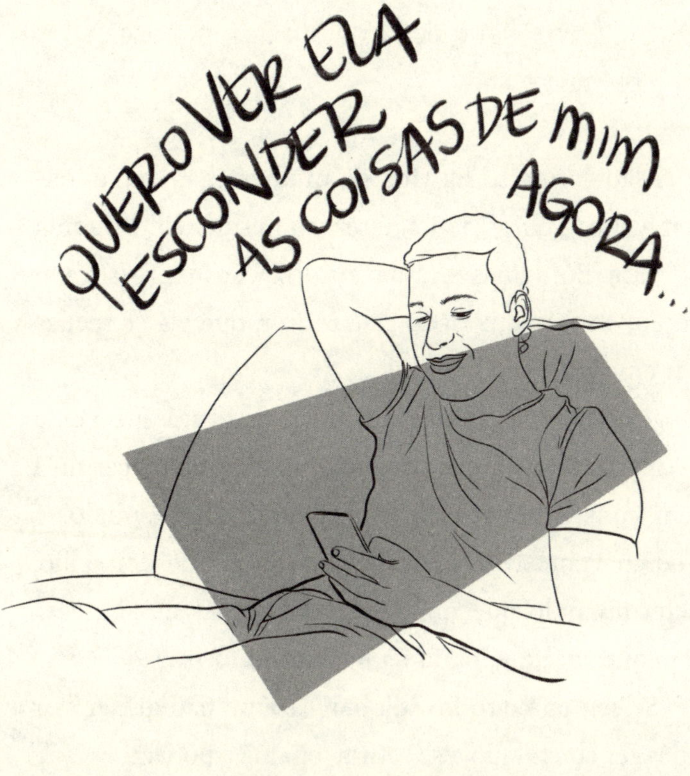
QUERO VER ELA
ESCONDER
AS COISAS DE MIM
AGORA...

VIOLAÇÃO DE DOMICÍLIO

Art. 150 - Entrar ou permanecer, clandestina ou astuciosamente, ou contra a vontade expressa ou tácita de quem de direito, em casa alheia ou em suas dependências:
Pena - detenção, de um a três meses, ou multa.

Algo rotineiro na vida da mulher, mas que é inaceitável aos olhos da lei, é ter sua residência invadida por um homem sem sua autorização expressa. Ou então, ao ser convidado a se retirar, que ele se recuse a ir embora.

A Constituição Federal também assegura que a casa é asilo inviolável, que ninguém pode permanecer nela sem consentimento do proprietário. Desse modo, o Código Penal traz o crime de violação de domicílio, determinando que ninguém pode entrar na sua casa sem que você queira ou tenha dado autorização.

Se seu parceiro invadir sua casa ou não quiser sair após ser convidado a se retirar, chame a polícia!

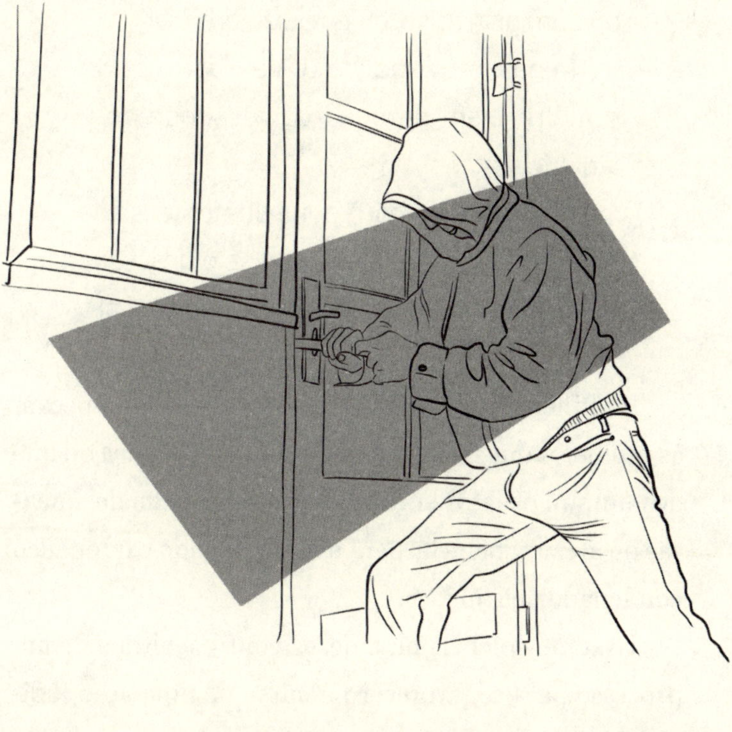

COAÇÃO NO CURSO DO PROCESSO

Art. 344 - Usar de violência ou grave ameaça, com o fim de favorecer interesse próprio ou alheio, contra autoridade, parte, ou qualquer outra pessoa que funciona ou é chamada a intervir em processo judicial, policial ou administrativo, ou em juízo arbitral:

Pena - reclusão, de um a quatro anos, e multa, além da pena correspondente à violência.

Parágrafo único. A pena aumenta-se de 1/3 (um terço) até a metade se o processo envolver crime contra a dignidade sexual.

É rotineiro que alguns agressores abusadores peçam às mulheres que retirem a queixa feita na justiça ou que desmintam os fatos em audiência, se valendo de ameaças ou até de violência, para não ser julgado e tampouco condenado pela justiça.

Usar de violência ou ameaça contra a vítima de um processo para se favorecer no curso de uma ação judicial é crime de coação, cuja pena, inclusive, é aumentada quando o crime em julgamento for sexual.

Deixe a justiça agir. Se for ameaçada no curso do processo, denuncie para que seu agressor responda por mais esse crime.

OU VOCÊ DIZ QUE EU NÃO TE ESTUPREI OU SUA FAMÍLIA VAI PAGAR POR ISSO!

VIOLÊNCIA INSTITUCIONAL

Art. 15-A. da Lei 13.869/19 Submeter a vítima de infração penal ou a testemunha de crimes violentos a procedimentos desnecessários, repetitivos ou invasivos, que a leve a reviver, sem estrita necessidade:

I - a situação de violência;

II - outras situações potencialmente geradoras de sofrimento ou estigmatização:

Pena - detenção, de 3 (três) meses a 1 (um) ano, e multa.

§ 1º Se o agente público permitir que terceiro intimide a vítima de crimes violentos, gerando indevida revitimização, aplica-se a pena aumentada de 2/3 (dois terços).

§ 2º Se o agente público intimidar a vítima de crimes violentos, gerando indevida revitimização, aplica-se a pena em dobro.

Importante informar já de início que o crime de violência institucional é um crime recente, que nasceu da repercussão do julgamento de uma acusação de estupro em que a vítima, Mariana Ferrer, foi ridicularizada

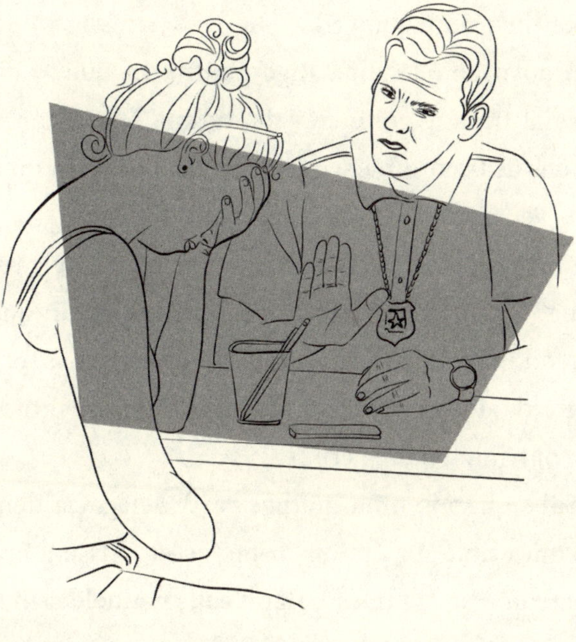

e humilhada em audiência pela defesa do acusado, e o membro do Ministério Público e o juiz, apesar de presentes, terem feito nada.

O crime de violência institucional hoje está inserido dentro da lei de abuso de autoridade (Lei 13.869/2019), e ocorrerá quando a vítima de um crime for revitimizada por um agente público.

A advogada Janaína Rigo Santin diz que "o direito penal trata as mulheres da mesma forma como os homens as tratam... Assim, acaba-se, por força do costume, acusando a vítima e não o autor".[5]

Ao oposto de julgar o autor do crime, julga-se a vítima, a qual sofre total intromissão na sua intimidade, tendo a vida, a casa e a família investigadas, com o intuito de desvendar sua reputação a fim de provar se não contribuiu para o crime.

Sabe quando uma mulher vai à delegacia denunciar um crime e a tratam como se ela fosse a criminosa, como se ela tivesse dado causa àquele crime do qual foi vítima? Quando, além de ter sido vítima, ela ainda é humilhada na delegacia, em audiência, seja

---

[5] SANTIN, Janaína Rigo; CAMPANA, Josiele Bona; GUAZELLI, Maristela Piva. *Violência doméstica*: como legislar o silêncio – estudo interdisciplinar na realidade local. Justiça do Direito, Passo Fundo, Universidade de Passo Fundo, v. 01, n. 16, p. 79-97, 2002.

com palavras ou fazendo-a reviver tudo o que viveu de forma invasiva e desnecessária?

Essa conduta agora é considerada crime. Finalmente o legislador reconheceu que o machismo também está presente nas instituições do sistema de justiça e criou esse delito para coibi-lo e também proteger a mulher de situações vexatórias e humilhantes em locais que deveriam acolhê-la e protegê-la.

PARTE 3

A importância da denúncia e como fazê-la

CAPÍTULO 8

A importância da denúncia

Os crimes citados anteriormente são aqueles dos quais as mulheres provavelmente são ou serão vítimas, com frequência e sem terem ciência. Mas, após descobrir que foi vítima de um crime, o que fazer? Por que é tão importante denunciar um criminoso?

Conhecer esses crimes perde relevância se não houver conscientização sobre a importância de denunciar o agressor, seja para que ele receba a punição pelo crime cometido, seja para ajudar a encerrar o ciclo violento, ou ainda colaborar para a criação de melhores políticas públicas de proteção à mulher.

Algumas pesquisas demonstram que a maioria das mulheres deixa de denunciar seus agressores pensando no bem da família, outras por vergonha, outras até por medo de perderem seus empregos.

Importante destacar que não haverá família feliz e sólida se nela a presença da violência é recorrente. Quem machuca a mulher, machuca a família inteira. A violência traz reflexos não apenas dentro do seio familiar, mas também na vida dos filhos em ambiente escolar, no ambiente corporativo e até no ambiente social em que a mulher está inserida.

Por outro lado, a vergonha de ser exposta e o medo do que as pessoas podem pensar é uma reação muito comum das vítimas de violência doméstica e de crimes sexuais. Isso, no entanto, não pode sobrepor a consciência de que essa mulher foi vítima e não culpada, o que lhe dá o direito de ser amparada pelo Estado na punição de quem a violentou.

Seguindo essa linha, não é sensato se colocar no lugar de culpada pela violência sofrida, como rotineiramente acontece. Tenha em mente que a culpa é de quem agride, abusa, machuca; e que a vítima é vítima. Como tal, deve e merece ser amparada e protegida.

No que diz respeito à vida profissional, é necessário reafirmar o que foi dito no tocante aos reflexos da violência. Sofrer uma violência reflete na produção e qualidade da prestação de serviços no ambiente de trabalho. Assim, encerrar o ciclo violento por meio da denúncia irá colaborar para que a mulher volte a desempenhar suas funções laborais com qualidade e segurança.

Dito isso, temos três pilares mais relevantes quando o assunto é a importância de denunciar a violência: a punição do agressor, o fim do ciclo da violência e a extração de dados para a criação de melhores políticas públicas que defendam e protejam a mulher.

Denunciar significa ajudar a romper a cultura que minimiza a violência contra a mulher e tenta normalizar e justificar tais agressões, demonstrando que não é normal, é crime. Além de mostrar que agredir, abusar, violentar uma mulher não passará despercebido aos olhos da lei e que existe punição para isso.

Dar uma resposta jurídica à altura da violência praticada não apenas faz justiça à mulher, como também serve de exemplo para outros agressores, pois estes saberão que realmente serão punidos se praticarem crimes contra a mulher; assim, essa denúncia servirá tanto para reprimir a prática do crime como para prevenir que outros venham a surgir.

Noutro aspecto, denunciar também significa viver livre de uma vida rodeada de violência e romper o ciclo de agressões fazendo com que a mulher que, inserida nesse emaranhado de hostilidade, pensa não haver outro caminho possa enxergar a possibilidade de uma nova vida.

Denunciar significa ficar livre de uma vida que machuca, dói, amedronta.

Viver sem violência, sem medo e com o mínimo de dignidade é direito de todas as mulheres.

Por fim, não podemos esquecer que as leis e os projetos que existem hoje e que garantem proteção e defesa às mulheres no Brasil são fruto de dados e estatísticas da violência por elas sofridas. Dados esses que só podem ser calculados através dos registros das denúncias. Para que o Poder Público possa entender a quantidade de violência, quais tipos e sobre quais mulheres estão recaindo, ele precisa de dados, demonstrando nesse sentido mais um pilar sobre a importância de denunciar.

Você já parou para pensar o que teria ocorrido se a Maria da Penha optasse por se calar? Nós não teríamos uma lei de proteção à mulher contra a violência doméstica e familiar que é referência para o mundo inteiro.

Da mesma forma, se as inúmeras denúncias de beijo roubado, passada de mão e "sarrada" em ônibus não tivessem sido realizadas, não haveria hoje o crime de importunação sexual do artigo 215-A do Código Penal, que se tornou crime após milhares de reclamações de mulheres nesse sentido.

Na mesma linha, o feminicídio, a Delegacia da Mulher, o crime de violência psicológica, de *stalking*, o Ligue 180, dentre outros instrumentos, são frutos de apuração dos dados denunciados pelas mulheres, fazendo com que o Poder Público visualizasse a importância de criar tais mecanismos para avançar na proteção das mulheres, bem como na punição desses agressores.

Dessa maneira, a denúncia, além de encerrar o ciclo violento que a mulher está vivendo e punir o agressor, também serve de base para que as autoridades públicas possam pensar e criar mais instrumentos que garantam a defesa, proteção, segurança e punição eficaz dos violentadores de mulheres.

Denunciar é proteger a si e fomentar a proteção de outras mulheres.

Falamos da importância de denunciar quando se vê vítima de um crime ou qualquer tipo de violência, agora precisamos saber como fazer essa denúncia e o que ocorre após ela.

De pronto já é necessário que se saiba que, ao se ver vítima de qualquer crime, o ideal é que se chame a polícia (190) na hora para que o criminoso possa ser preso em flagrante, independentemente do crime que tenha praticado. Caso o crime já tenha acontecido e você necessite de informações sobre como proceder, ligue 180. Falaremos mais minuciosamente sobre a função de cada canal no último capítulo deste livro.

Importante acrescentar ainda que todos os crimes mencionados podem ter como provas vídeos, mensagens, testemunhas, exame de corpo delito, prints, dentre outros. Além disso, é preciso saber em quais casos carecemos que a própria vítima faça a denúncia e em quais casos, independentemente da vontade dela, haverá inquérito, processo e julgamento do agressor.

O Código de Processo Penal traz três tipos de ações (processos) criminais, a saber: ação privada, ação pública condicionada à representação e ação pública incondicionada.

A ação privada, como bem disse o professor e advogado criminalista Nestor Távora em seu livro *Curso de Direito Processual Penal*,[6] trata sobre aqueles crimes que ofendem sobremaneira a intimidade da vítima, e que a lei lhe conferiu pessoalmente o próprio direito de ação, ou seja, ela que deverá escolher se o Estado através do Judiciário deve ou não processar e punir esse criminoso. Em outras palavras, sem a vontade da vítima não haverá ação nem qualquer julgamento; é necessário que a vítima faça a denúncia pessoalmente através de um instrumento que chamamos de queixa-crime.

Temos como exemplo de crimes de ação privada os crimes contra a honra, como difamação (artigo 139 do Código Penal), calúnia (artigo 138 do Código Penal) e injúria (artigo 140 do Código Penal). Nesses crimes, sem que a vítima queira que haja um processo, não haverá qualquer ação por parte da polícia nem do Judiciário.

Já na ação pública condicionada à representação, ao contrário da ação privada, o titular da ação (quem vai dar andamento a ela) é o Ministério Público. Como o nome já diz, a ação é pública (de obrigação do Estado), mas, para que ela exista, está condicionada à autorização da vítima, que chamamos de representação.

---

[6] TÁVORA, Nestor; ALENCAR, Rosmar Rodrigues. *Curso de Direito Processual Penal*. 14. ed. São Paulo: Juspodivm, 2019.

Vale dizer, sem que a vítima diga que deseja ver o criminoso investigado, denunciado e processado pelo Estado, não se pode sequer lavrar o auto de prisão em flagrante dele. A representação da vítima nesse tipo de ação é condição para que o Ministério Público possa dar andamento, diferente da ação privada, em que ainda que a vítima registre o Boletim de Ocorrência, se ela pessoalmente não ajuizar a ação criminal, não haverá processo contra esse criminoso.

Exemplos de crimes de ação pública condicionada à representação dos quais as mulheres costumam ser vítimas são os de ameaça (artigo 147 do Código Penal) e perseguição (*stalking*, artigo 147-A do Código Penal).

E, finalmente, quando falamos que a ação é pública incondicionada significa dizer que, independentemente da vontade da vítima ou de qualquer pessoa, haverá investigação, processo e julgamento do agressor.

Aqui a ação é incondicionalmente de obrigação/titularidade do Estado através do Ministério Público, seu órgão acusador oficial.

Importante destacar que a regra geral é essa, mas, em algumas situações, o Estado, por entender que o crime invadiu sobremaneira a intimidade da vítima, concede a ela a escolha de querer ver ou não a pessoa processada.

Vale lembrar que, quando falamos de ação pública incondicionada, estamos falando ainda que qualquer pessoa do povo pode realizar a denúncia, e tanto a polícia quanto o Ministério Público podem abrir investigação de ofício, ou seja, por conta própria.

São exemplos de crimes de ação pública incondicionada o crime de violência psicológica, importunação sexual, assédio sexual, estupro, lesão corporal ainda que leve se for no contexto de violência doméstica e familiar, extorsão, pornografia de vingança etc.

Para melhor compreensão:

AÇÃO PRIVADA
Cabe à mulher escolher se quer ou não propor a ação e dar seguimento a ela.

AÇÃO PÚBLICA CONDICIONADA À REPRESENTAÇÃO
A polícia ou o Ministério Público só podem dar andamento à investigação com autorização da mulher, é uma condição para o Estado processar o agressor.

AÇÃO PÚBLICA INCONDICIONADA
Independentemente da vontade da vítima ou de

> qualquer pessoa, haverá investigação, processo e julgamento, e qualquer pessoa pode denunciar, ou até mesmo a polícia ou o Ministério Público podem abrir investigação por conta própria.

Você deve estar se perguntando: "Mas qual é o procedimento que devo seguir? O que acontece depois?". Então, vamos lá!

Quando o crime for de iniciativa e titularidade exclusiva da mulher, você deverá procurar uma delegacia, fazer um Boletim de Ocorrência e, após isso, procurar uma advogada que oferecerá no Judiciário a queixa-crime em conjunto com as provas que você tiver.

Já no Judiciário, a juíza marcará uma audiência de conciliação que ocorrerá no juizado especial criminal. Não havendo transação penal (acordo proposto pelo Ministério Público ao agressor para que não haja prosseguimento na ação e o caso seja encerrado), a juíza ouvirá você, ele, as testemunhas, se houver, e julgará se ele é inocente ou culpado.

Quando o crime for de ação pública condicionada, a mulher precisará ir à delegacia ou ao Ministério Público dizer que tem interesse que esse agressor seja processado pela justiça. Após essa autorização, o trâmite será o mesmo da ação pública incondicionada.

A saber: a autoridade policial determinará a abertura de inquérito policial (investigação, ouvirá a mulher e o agressor e colherá as provas necessárias para apuração do crime cometido), e após apuração dos fatos fará um relatório que será enviado ao Ministério Público. O Ministério Público, por sua vez, se acatar o relatório feito pela delegada de polícia, fará o que chamamos de denúncia e enviará ao Judiciário para que abra uma ação criminal contra esse agressor.

A juíza, ao receber essa denúncia do Ministério Público, citará esse agressor para que ele possa responder aos fatos de que está sendo acusado. Após a resposta dele, a juíza encaminhará para a averiguação do Ministério Público. Após vista do Ministério Público sobre a defesa feita pelo agressor, a juíza então marcará a audiência de instrução e julgamento.

Chegada à audiência, serão ouvidos a mulher, as testemunhas tanto dela quanto dele e o agressor. Depois a acusação (Ministério Público e assistente de acusação, se houver) e a defesa do agressor farão as alegações finais sobre o caso e, em seguida, a juíza proferirá a sentença dizendo se ele é inocente ou culpado.

Para melhor compreensão:

AÇÃO PRIVADA

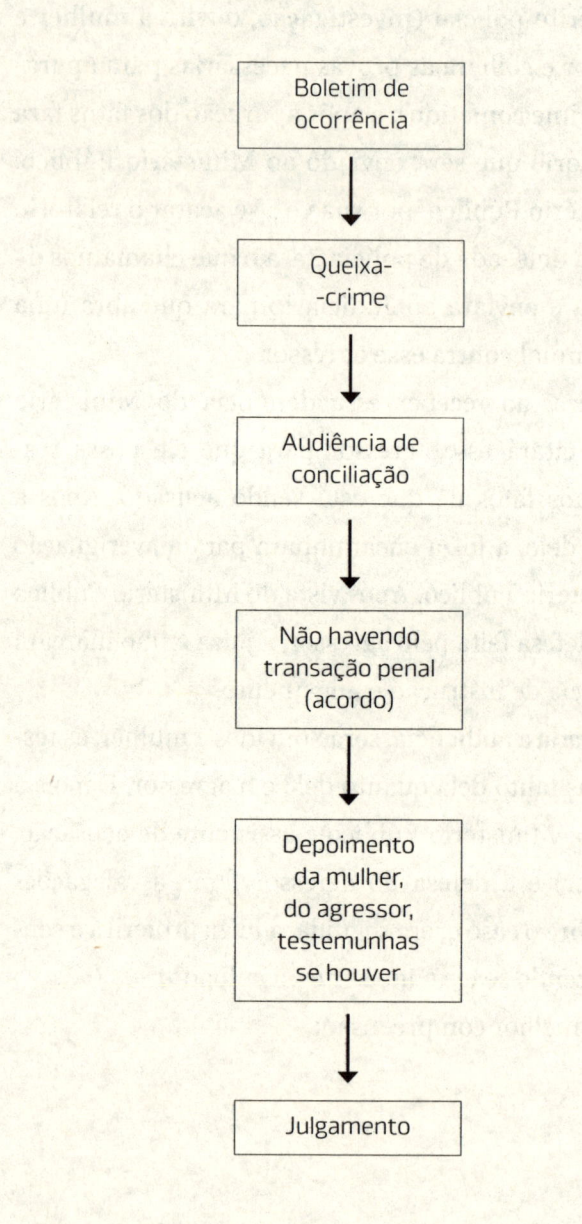

Boletim de ocorrência

↓

Queixa-crime

↓

Audiência de conciliação

↓

Não havendo transação penal (acordo)

↓

Depoimento da mulher, do agressor, testemunhas se houver

↓

Julgamento

AÇÃO PÚBLICA

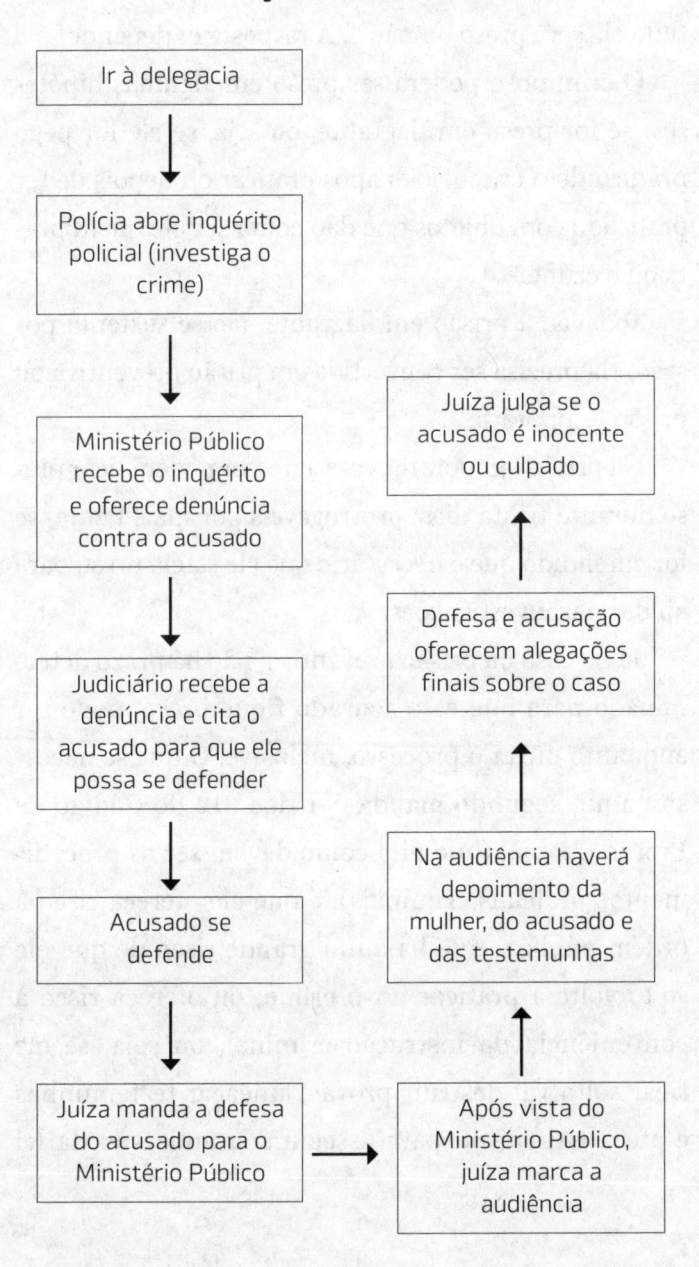

```
Ir à delegacia
      │
      ▼
Polícia abre inquérito
policial (investiga o
       crime)
      │
      ▼
Ministério Público
recebe o inquérito
e oferece denúncia
contra o acusado
      │
      ▼
Judiciário recebe a
denúncia e cita o
acusado para que ele
possa se defender
      │
      ▼
Acusado se
  defende
      │
      ▼
Juíza manda a defesa  →  Após vista do
do acusado para o        Ministério Público,
Ministério Público       juíza marca a
                         audiência
                              │
                              ▼
                         Na audiência haverá
                         depoimento da
                         mulher, do acusado e
                         das testemunhas
                              │
                              ▼
                         Defesa e acusação
                         oferecem alegações
                         finais sobre o caso
                              │
                              ▼
                         Juíza julga se o
                         acusado é inocente
                         ou culpado
```

Você pode estar se perguntando: "Mas após isso tudo ele será preso ou não?". A resposta é: depende!

O criminoso poderá ser preso em algumas hipóteses: se for preso em flagrante, ou seja, se ele for pego praticando o crime, logo após praticar ou depois de ter praticado com objetos que dão conta ser ele quem praticou o crime.

Todavia, a prisão em flagrante não se sustenta por si só, ela precisa ser convertida em prisão preventiva ou prisão temporária.

Na prisão temporária, esse agressor poderá ficar preso durante trinta dias, prorrogáveis por mais trinta, se for entendido que é necessário que ele esteja preso para ajudar nas investigações.

Já no caso da prisão preventiva, não há prazo determinado para que esse acusado fique preso, pode ser enquanto durar o processo, inclusive. O que se necessita aqui, segundo manda o artigo 312 do Código de Processo Penal (que dita como devem ser os procedimentos judiciais criminais), é que ele ofereça risco à ordem pública; que haja um grande risco de que ele solto volte a praticar novo crime; ou ofereça risco à conveniência da instrução criminal, ou seja, se ele ficar solto vai destruir provas, ameaçar testemunhas e até a vítima; ou para assegurar a aplicação da lei penal, se houver risco de que ele fuja em decorrência do processo.

Nos casos citados, o acusado poderá ser preso quando da prática do crime, ou durante o inquérito policial, ou durante o andamento do processo criminal.

No caso do julgamento, dizendo que ele é culpado, a prisão ocorrerá a depender da pena aplicada a ele e de algumas outras circunstâncias. A saber:

- se a pena aplicada for de até quatro anos de prisão, ele poderá cumprir a sentença em regime aberto, ou seja, na casa dele mesmo ou através de trabalho comunitário;
- se a pena aplicada for mais que quatro anos e menos que oito anos, ele será conduzido ao regime semiaberto, que deverá ser cumprido em uma colônia agrícola, onde ele trabalhará durante o dia e dormirá no presídio;
- se a pena for acima de oito anos, ele deverá cumprir a pena em regime fechado, isto é, trancado no presídio.

Vale ressaltar que, se o acusado já tiver outras condenações por outros crimes ou até por crimes similares, ainda que a pena aplicada seja menor que oito anos, o juiz poderá aplicar o regime fechado.

Para melhor entendimento:

Até quatro anos de prisão
Regime aberto

Acima de quatro e abaixo de oito anos
Regime semiaberto

Acima de oito anos
Regime fechado

Mas não se esqueça de que, se os crimes aqui mencionados forem praticados no contexto de violência doméstica ou familiar, e houver risco à sua vida, integridade física ou psicológica, o agressor poderá ser imediatamente afastado de casa ou lugar de convivência com você através de uma medida protetiva de urgência. Você pode requerê-la na Delegacia da Mulher ou na delegacia mais próxima. Agora que você sabe todo o caminho percorrido até à condenação do criminoso, não deixe de denunciar.

CAPÍTULO 9

Ele foi condenado, e agora?

Poucas mulheres sabem que, além do processo criminal e possível pena de prisão, ainda há alguns efeitos que essa condenação poderá acarretar ao criminoso.

O artigo 91 do Código Penal diz que, quando o agressor abusador é condenado criminalmente, ele ainda tem o dever de indenizar a vítima pelo dano a ela causado. Vale lembrar que, quando se fala em indenização, estamos falando de um valor em dinheiro que ele terá que pagar pelo dano sofrido pela mulher que foi vítima.

Na mesma linha, o artigo 9º §4º da Lei Maria da Penha diz que aquele que, por ação ou omissão, causar lesão, violência física, sexual ou psicológica e dano moral ou patrimonial à mulher fica obrigado a ressarcir todos os danos causados, inclusive ressarcir o SUS, de acordo com a tabela SUS, os custos relativos aos serviços de saúde prestados para o total tratamento dessa vítima em situação de violência doméstica e familiar, recolhidos os recursos assim arrecadados ao Fundo Nacional de Saúde (FNS) do ente federado responsável pelas unidades de saúde que prestarem os serviços.

Não obstante, caso o crime praticado seja contra filhos ou a mãe dos filhos, o homem ainda perderá o direito ao poder familiar sobre os filhos (a guarda), segundo fala o artigo 92, II do mesmo Código Penal.

Merece nota que, se esse homem exercer cargo, função pública ou mandato eletivo, além da pena de prisão, também perderá o direito a continuar exercendo tal função após a condenação. Agrega-se ainda que, dentre as penas aplicadas a esse infrator, também está a proibição de frequentar certos lugares, limites no final de semana e ainda a proibição de se inscrever em exames e concursos públicos.

Desse modo, engana-se quem pensa que a punição criminal se esgota apenas na pena de prisão; pelo contrário, há diversas outras determinações jurídicas que poderão ser agregadas em conjunto a essa pena de prisão que pode ser aplicada.

É necessário falarmos também sobre a vida após a ocorrência do crime, já que é comum as mulheres vítimas de crimes em geral e de violência doméstica acreditarem que é impossível recomeçar.

Todavia, algumas dicas são importantes para que você possa prosseguir e dar início a essa nova fase, livre de qualquer tipo de coação, opressão ou violência.

De início já digo que é extremamente importante que você tenha uma rede de apoio ao seu lado, seja família ou amigos próximos, pois essas pessoas, por gostarem de você de verdade e realmente buscarem seu bem, lhe darão forças para que vença essa fase pós-vitimização.

A realização de terapia também é uma aliada extremamente importante para ajudar na compreensão e superação do trauma, além de colaborar na descoberta da sua identidade verdadeira, que, muitas vezes, é apagada em virtude de relações abusivas e crimes vivenciados.

Caso não tenha, buscar um trabalho também pode colaborar muito na recuperação pós-crime, seja no reconhecimento pessoal de sua capacidade, seja no alcance da independência financeira, que é uma aliada de peso no processo de recuperação da autoestima e também da independência da mulher.

Falando em autoestima, na grande maioria dos casos em que a mulher se vê vítima de um delito, ela é fortemente afetada. Buscar alternativas como diversão com os amigos, passeios, leitura ou investimento na aparência pode ajudar para que essa autoestima volte e a mulher se enxergue como potente e dona de si novamente.

Fazendo um adendo especialmente para as mulheres vítimas de violência doméstica e familiar, aconselho que não busquem a sua metade da laranja, como diz o ditado, mas sejam inteiras e, só então, procurem alguém que agregue algo àquilo que já são. Não busquem completar o que falta.

E não se esqueçam de que amor não dói, amor não machuca. Se doer, se machucar, se fizer chorar, é tudo, menos amor.

Redes de apoio ao enfrentamento da violência contra a mulher

Primeiro recado: você não está sozinha!

Após toda essa caminhada de conhecimento acerca dos motivos da naturalização da violência contra a mulher em nosso país, acerca de quais situações podem ser consideradas crimes, bem como de todo trâmite processual até a condenação do criminoso, é importante que você saiba que pelo Brasil afora existem coletivos, ongs e entidades governamentais que atuam diariamente no acolhimento, proteção e amparo às vítimas de violência.

Se este livro lhe fez lembrar de alguma situação que viveu e que possa ser considerada crime, mas você não possui uma rede de apoio ou facilidade para encontrar ajuda, seguem algumas instituições que poderão auxiliá-la em qualquer canto do país.

Primeiro, vamos falar dos canais oficiais de denúncia:

190

Canal para urgências e emergências que visem denunciar crimes que estejam acontecendo ou que tenham acabado de acontecer.

É de uso da polícia militar que enviará policiais e viaturas até o local.

Funciona 24 horas por dia e garante o anonimato.

180

Canal nacional que recebe denúncias de violência contra a mulher e as encaminha para os órgãos competentes.

É gratuito, confidencial e funciona 24 horas por dia.

100

Canal dos Direitos Humanos que em regra acolhe denúncias de violência sexual contra crianças e adolescentes, mas tem recebido denúncias de violação de direitos humanos de grupos sociais vulneráveis, dentre eles as mulheres.

Funciona diariamente das 08h às 22h.

181

Esse canal foi criado para receber denúncias anônimas de qualquer crime.

As chamadas são sigilosas e o equipamento não tem identificador de chamadas.

A usuária não precisa fornecer nome, nem endereço e ao final ainda recebe uma senha para acompanhar as investigações.

Analise a situação que está vivendo, acione o canal que mais atenda a sua necessidade, mas não deixe de denunciar.

Já sobre acolhimento, proteção, assistência jurídica, social e psicológica no enfrentamento a violência contra a mulher, as principais redes com atuação nacional extraídas até setembro de 2022 são:

Instituto Maria da Penha
SERVIÇO: Consultoria
CONTATO: +55 85 4102 5429
+55 85 98897 6096
atendimento@institutomariadapenha.org.br

Justiceiras
SERVIÇO: Atendimento às mulheres vítimas de violência nas áreas do Direito, Psicologia e Assistência Social de todo o Brasil.
CONTATO: https://justiceiras.org.br/#contato

Defensorias Públicas
SERVIÇO: Atendimento jurídico gratuito.
Disponível em todos os estados do Brasil

Fundo de Investimento Social Privado pelo Fim das Violências contra as Mulheres e Meninas
SERVIÇO: Tem o objetivo de reduzir os impactos da violência ao apoiar os serviços públicos de abrigamento e proteção e ao oferecer suporte para a recolocação profissional das mulheres.
CONTATO: https://www.fundoisp.com.br/

Mapa do acolhimento
SERVIÇO: Conecta mulheres que sofreram violência de gênero a psicólogas e advogadas dispostas a ajudá-las de forma voluntária.
CONTATO: https://www.mapadoacolhimento.org/

Um socorro à meia-noite
SERVIÇO: Acolhe, informa e empodera mulheres que estão em um cenário de pós-violência, através de conteúdos e indicação de profissionais.
CONTATO: https://www.umsocorroameianoite.com.br/ajuda

Referências

ARAÚJO, Eronides Câmara de. *Homens traídos e práticas da masculinidade para suportar a dor*. Campina Grande: Appris Editora, 2016.

BEAUVOIR, Simone de. *O segundo sexo:* fatos e mitos. São Paulo: Nova Fronteira, 2009.

BRASIL. Código Civil de 1916, de 01 de janeiro de 1916. Disponível em: http://www.planalto.gov.br/cCivil_03/Leis/L3071.htm. Acesso em: 26 jan. 2022.

BRASIL. Código Civil de 2002, de 10 de janeiro de 2002. Disponível em: http://www.planalto.gov.br/cCivil_03/Leis/2002/L10406.htm. Acesso em: 26 jan. 2022.

BRASIL. Código Criminal do Império do Brasil de 1830, de 16 de dezembro de 1830. Disponível em: https://www.planalto.gov.br/ccivil_03/leis/lim/lim-16-12-1830.htm. Acesso em: 26 jan. 2022.

BRASIL. Código de Processo Penal de 1941, de 3 de outubro de 1941. Disponível em: https://www.planalto.gov.br/ccivil_03/decreto-lei/del3689compilado.htm. Acesso em: 26 jan. 2022.

BRASIL. Código Penal de 1940, de 7 de dezembro de 1940. Disponível em: https://www.planalto.gov.br/ccivil_03/decreto-lei/del2848compilado.htm. Acesso em: 26 jan. 2022.

BRASIL. Constituição Federal da República Federativa do Brasil de 1988. Disponível em: https://www.planalto.gov.br/ccivil_03/constituicao/constituicaocompilado.htm. Acesso em: 26 jan. 2022.

BRASIL. Constituição Política do Império do Brasil de 1824, de 25 de março de 1824. Disponível em: https://www.planalto.gov.br/ccivil_03/constituicao/constituicao24.htm. Acesso em: 26 jan. 2022.

BRASIL. Lei de Abuso de Autoridade, de 5 de setembro de 2019. Disponível em: https://www.planalto.gov.br/ccivil_03/_ato2019-2022/2019/lei/L13869.htm. Acesso em: 07 jun. 2022.

BRASIL. Lei Maria da Penha de 2006, de 7 de agosto de 2006. Disponível em: https://www.planalto.gov.br/ccivil_03/_ato2004-2006/2006/lei/l11340.htm. Acesso em: 26 jan. 2022.

CISNE, Mirla; SANTOS, Silvana Mara Morais dos.

Feminismo, diversidade sexual e Serviço Social. São Paulo: Cortez, 2018.

DIAS, Maria Berenice. A mulher no Código Civil. *Investidura Portal Jurídico*, Florianópolis, 21 nov. 2008. Disponível em: www.investidura.com.br/biblioteca-juridica/artigos/direito-civil/2247. Acesso em: 25 jan. 2022.

_____. *Manual de Direito das Famílias.* São Paulo: Juspodivm, 2022.

hooks, bell. *E eu não sou uma mulher?* Mulheres negras e feminismo. Rio de Janeiro: Rosa dos Tempos, 2020.

_____. *O feminismo é para todo mundo*: políticas arrebatadoras. Rio de Janeiro: Rosa dos Tempos, 2018.

JÚNIOR, Dirley da Cunha. *Curso de Direito Constitucional.* São Paulo: Juspodivm, 2015.

LERNER, Gerda. *A criação do patriarcado:* história da opressão das mulheres pelos homens. São Paulo: Cultrix, 2019.

SAFFIOTI, Heleieth. *Gênero, patriarcado, violência.* São Paulo: Expressão Popular, 2015.

SANTIN, Janaína Rigo; CAMPANA, Josiele Bona; GUAZELLI, Maristela Piva. Violência doméstica: como legislar o silêncio – estudo interdisciplinar na realidade local. *Justiça do Direito*, Passo Fundo,

Universidade de Passo Fundo, v. 1, n. 16, p. 79-97, 2002.

TÁVORA, Nestor; ALENCAR, Rosmar Rodrigues. *Curso de Direito Processual Penal*. São Paulo: Juspodivm, 2019. Referências

Agradecimentos

Agradeço a Deus, minha família Belo, meus amigos, meus professores, meus seguidores e todos que de alguma forma contribuíram para que esta obra pudesse ter sido escrita.

Às minhas tias Imaculada e Alda, gratidão por ensinar o quão longe a educação e a honestidade podem nos levar.

Às minhas amigas Carla, Juliana e Cintia, meu muito obrigada por terem segurado minha mão nos piores e melhores momentos da minha vida e por terem me apoiado no cultivo desta obra tão importante para as mulheres.

Agradeço ainda a Luciana Baiana, por me ensinar diariamente a importância de se pensar no coletivo e de fazer nossa voz ecoar em todos os espaços.

Igualmente, agradeço a Irina Bullara, amiga querida, por me fazer avistar que a síndrome da impostora não se ajustava à minha bagagem e, por isso, ocupar espaços para falar de gênero e de raça era o meu dever.

À minha amada professora Marluce, que me ensinou a escrever textos e segurou minha mão, do Ensino Fundamental até o diploma em Direito, minha gratidão eterna.

Aos meus filhos, Philippe e Marcelo, e ao meu neto, Heitor, obrigado por existirem e por fazerem a minha vida ser mais leve e feliz.

Agradeço também ao meu marido, André, pelo companheirismo e por nunca ter tentado cortar minhas asas, mas, pelo contrário, por sempre ter respeitado, apoiado e incentivado cada sonho, cada jornada, bem como meu ativismo e militância em prol das mulheres.

E a todas as mulheres que floresceram meu caminho até aqui, seja me inspirando, me ensinando ou me aconselhando. Meus sinceros agradecimentos.

Editora Planeta
Brasil | **20 ANOS**

Acreditamos nos livros

Este livro foi composto em Miller Text e impresso pela Geográfica para a Editora Planeta do Brasil em julho de 2023.